2025 모아
전기기사
봉투모의고사

모아합격전략연구소

실기

정답 및 해설집

목차

1회 정답 및 해설 / 4p

2회 정답 및 해설 / 26p

3회 정답 및 해설 / 50p

2025 모아 전기기사 실기 봉투모의고사

정답 및 해설

1회

● 부분점수 채점 기준은 한국산업인력관리공단에서 공식적으로 공개하지 않아 정확히 알 수 없으나, 채점위원으로 활동하셨던 교수님 및 기타 다양한 경로를 통해 얻은 정보를 분석하여 자체적으로 수립한 기준입니다. 따라서 모의고사에서 제시하는 부분점수 채점 기준이 실제 채점 결과에 대한 불복 청구 등의 법적 근거자료로 활용될 수 없음을 알려드립니다. 또한 부분점수 채점 기준에 대한 질문은 별도 답변을 하지 않습니다. 이 점 학습에 참고 바랍니다.

01

배점 12점

정답

(1) LBS : 부하개폐기
　ATS : 자동 절체 스위치
(2) • ⊕ : 전압계용 전환 개폐기
　• Ⓐ : 전류계용 전환 개폐기1
(3) 부하집계 및 입력 환산표

구 분		설비용량 [kW]	효율 [%]	역률 [%]	입력환산 [kVA]
전등 및 전열		350	100	80	$\frac{350}{0.8 \times 1} = 437.5$
일반동력		500	90	85	$\frac{500}{0.9 \times 0.85} = 653.59$
비상동력	유도전동기1	7.5	80	90	$\frac{7.5}{0.9 \times 0.8} = 10.42$
	유도전동기2	11 × 2	85	90	$\frac{11 \times 2}{0.9 \times 0.85} = 28.76$
	유도전동기3	15	85	90	$\frac{15}{0.9 \times 0.85} = 19.6$
	비상조명	9	100	90	$\frac{9}{0.9 \times 1} = 10$
	소계	-	-	-	68.78

(4) □ 계산과정

$$P_a = \frac{653.59 \times 0.5 + 68.78 \times 1}{1.2} \times 1.15 = 379.09 \, [\text{kVA}]$$

답 400 [kVA]

해설

변압기 TR-2의 용량은 일반동력과 비상동력에 대하여 계산해야 한다.

변압기 용량 [kVA] = $\dfrac{\text{설비 용량} \times \text{수용률}}{\text{부등률} \times \text{역률}}$

(3)항에서 계산한 입력환산값을 설비용량에 대입하고, 참고사항의 조건들을 알맞게 대입한다.

$P_a = \dfrac{653.59 \times 0.5 + 68.78 \times 1}{1.2} \times 1.15 = 379.09 \text{ [kVA]}$

표준용량 400 [kVA] 선정

부분점수

점수	세부기준
+2	(1) 정답인 경우 가산
+2	(2) 정답인 경우 가산
+5	(3) 정답인 경우 가산
+3	(4) 정답인 경우 가산

02   배점 4점

정답

합성수지관 공사, 금속관 공사, 케이블 공사

부분점수

점수	세부기준
4	3가지를 모두 적은 경우
2	2가지를 적은 경우
1	1가지를 적은 경우

> **핵심이론** 옥내배선공사

542.1.1 전기배선
1. 전기배선은 열적 영향이 적은 방법으로 시설하여야 한다.
2. 기타사항은 512.1.1에 따른다.
3. 단자와 접속은 512.1.2에 따른다.

512.1.1 전기배선
전기배선은 다음에 의하여 시설하여야 한다.
가. 전선은 공칭단면적 2.5 [mm^2] 이상의 연동선 또는 이와 동등 이상의 세기 및 굵기의 것일 것
나. 배선설비 공사는 옥내에 시설할 경우에는 232.11, 232.12, 232.13, 232.51 또는 232.3.7의 규정에 준하여 시설할 것
다. 옥측 또는 옥외에 시설할 경우에는 232.11, 232.12, 232.13 또는 232.51(232.51.3은 제외할 것)의 규정에 준하여 시설할 것

232.11 합성수지관공사
232.12 금속관공사
232.13 금속제 가요전선관공사
232.51 케이블공사

03 배점 6점

정답

(1) CT잔류회로방식

(2) 명칭 : 과전류계전기
    약호 : OCR

(3) 명칭 : 지락과전류계전기
    역할 : 지락전류 검출

(4) ㅁ 계산과정

탭전류 = 정격전류 × (1/CT비) × 과부하율

정격전류 $I = \dfrac{P}{\sqrt{3} \times V}$ [A]

∴ 탭전류 $I_t = \dfrac{1300 \times 10^3}{\sqrt{3} \times 22.9 \times 10^3} \times \dfrac{5}{50} \times 1.3 = 4.26$ [A]

답 5 [A] 선정

> **해설**

(1) 3대의 CT를 연결해서 CT잔류회로방식이라고 하지만 CT 3개가 Y결선이 되어 있어 Y결선잔류회로방식이라고도 부른다.

(2) A_1, A_2, A_3 모두 과전류 계전기이다.

(3) 지락과전류계전기로 약호는 OCGR이다.

(4) $CT비 = \dfrac{정격전류}{탭전류} \times 과부하율$

위의 공식을 변형하면 "탭전류 = 정격전류 × (1/CT비) × 과부하율"

정격전류 I는 $P = \sqrt{3}\,VI$를 정리하여 $I = \dfrac{P}{\sqrt{3} \times V}$[A]를 이용하면

$I = \dfrac{1300 \times 10^3}{\sqrt{3} \times 22.9 \times 10^3}$ 이므로

탭전류 $I_t = \dfrac{1300 \times 10^3}{\sqrt{3} \times 22.9 \times 10^3} \times \dfrac{5}{50} \times 1.3 = 4.26$ [A]

따라서 4.26 [A]보다 큰 5 [A]를 선정한다.

답 5 [A]

> **부분점수**

점수	세부기준
+1	(1) 정답인 경우 가산
+1	(2) 정답인 경우 가산
+1	(3) 정답인 경우 가산
+3	(4) 정답인 경우 가산

> **핵심이론** CT잔류회로

(1) CT잔류회로방식
- 3대의 CT를 Y결선한 잔류회로에 지락과전류계전기(OCGR)를 설치하여 영상전류를 검출
- 일반적으로 중성점 직접접지 방식에 적용한다.
- 주로 CT비 300/5 이하의 CT를 사용하는 소규모 설비에서 사용

(2) CT비

$CT비 = \dfrac{정격전류}{탭전류} \times 과부하율$

04

배점 5점

정답

□ 계산과정

$$P_V = \frac{P}{\cos\theta \times \eta} = \frac{30}{0.8 \times 0.8} = 46.875 [\text{kVA}]$$

$$P_1 = \frac{P_V}{\sqrt{3}} = \frac{46.875}{\sqrt{3}} = 27.06 [\text{kVA}]$$

답 30 [kVA]

해설

V결선 시 전체 $P_V = \sqrt{3}\,P_1$이다.

$P_V = \sqrt{3}\,P_1$에서 변압기 한 대의 용량은 $P_1 = \dfrac{P_V}{\sqrt{3}}$

변압기 용량 [kVA]는 정격출력 [kW]의 값에 역률과 효율을 나누어 계산할 수 있다.

$$P_V = \frac{P}{\cos\theta \times \eta} = \frac{30}{0.8 \times 0.8} = 46.875 \text{이므로}$$

$$P_1 = \frac{P_V}{\sqrt{3}} = \frac{46.875}{\sqrt{3}} = 27.06 [\text{kVA}]$$

변압기 표준용량 표에서 27.06 [kVA]보다 큰 값인 30 [kVA]로 선정한다.

핵심이론 V결선 출력

$P_v = \sqrt{3}\,P_1$

05

배점 4점

정답

□ 계산과정

$$A = \frac{17.8LI}{1000e} = \frac{17.8 \times 50 \times 100}{1000 \times 5} = 17.8 \ [\text{mm}^2]$$

답 25 [mm²]

해설

3상 4선식은 경우 전압강하에 따른 전선의 단면적 $A = \dfrac{17.8LI}{1000e}$이다.

L은 구내배선의 길이 즉, 긍장 50 [m] I는 부하전류 100 [A] 그리고 전압강하 e = 5 [V]이므로 이를 식에 대입하면 17.8이 나오지만 문제에서 공칭단면적이라고 했으니 17.8보다 큰 25 [mm²]라고 적어주어야 한다.

핵심이론 전압강하

- 전압강하 계산

전기 방식	전압 강하		전선 단면적
단상 3선식 직류 3선식 3상 4선식	$e_1 = IR$	$e_1 = \dfrac{17.8LI}{1000A}$	$A = \dfrac{17.8LI}{1000e_1}$
단상 2선식 및 직류 2선식	$e_2 = 2IR = 2e_1$	$e_2 = \dfrac{35.6LI}{1000A}$	$A = \dfrac{35.6LI}{1000e_2}$
3상 3선식	$e_3 = \sqrt{3}IR = \sqrt{3}e_1$	$e_3 = \dfrac{30.8LI}{1000A}$	$A = \dfrac{30.8LI}{1000e_3}$

e : 전압강하 [V], I : 부하전류 [A]
L : 전선의 길이 [m], A : 사용전선의 단면적 [mm²]

- KSC IEC 전선규격 [mm²]

  1.5, 2.5, 4, 6, 10, 16, 25, 35, 50, 70, 95, 120, 150, 185, 240, 300, 400, 500, 630

06 배점 6점

정답

(1) 전차선 : 전기철도차량의 집전장치와 접촉하여 전력을 공급하기 위한 전선
(2) 급전선 : 전기철도차량에 사용할 전기를 변전소로부터 전차선에 공급하는 전선
(3) 조가선 : 전차선이 레일면상 일정한 높이를 유지하도록 행어이어, 드로퍼 등을 이용하여 전차선 상부에서 조가하여 주는 전선

부분점수

점수	세부기준
+2	(1) 정답인 경우 가산
+2	(2) 정답인 경우 가산
+2	(3) 정답인 경우 가산

핵심이론 402 전기철도의 용어 정의

8. 전차선 : 전기철도차량의 집전장치와 접촉하여 전력을 공급하기 위한 전선을 말한다.
9. 전차선로 : 전기철도차량에 전력를 공급하기 위하여 선로를 따라 설치한 시설물로서 전차선, 급전선, 귀선과 그 지지물 및 설비를 총괄한 것을 말한다.
10. 급전선 : 전기철도차량에 사용할 전기를 변전소로부터 전차선에 공급하는 전선을 말한다.
11. 급전선로 : 급전선 및 이를 지지하거나 수용하는 설비를 총괄한 것을 말한다.
14. 조가선 : 전차선이 레일면상 일정한 높이를 유지하도록 행어이어, 드로퍼 등을 이용하여 전차선 상부에서 조가하여 주는 전선을 말한다.

07 배점 6점

정답

□ 계산과정

$P_A = (30+20+60)^2 R + (20+60)^2 R + 60^2 R = 22100R$

$P_B = 40^2 R + (20+60)^2 R + 60^2 R = 11600R$

$P_C = 40^2 R + (40+30)^2 R + 60^2 R = 10100R$

$P_D = (40+30+20)^2 R + (40+30)^2 R + 40^2 R = 14600R$

답 C점이 전력손실 최소

해설

단상회로에서 전력손실 $P_L = I^2R$이므로

각 급전점 A, B, C, D에서의 손실은 계산할 때, 우선 A와 B 사이의 저항을 R_1이라하고 B와 C 사이의 저항은 R_2, C와 D사이의 저항을 R_3라고 하자.

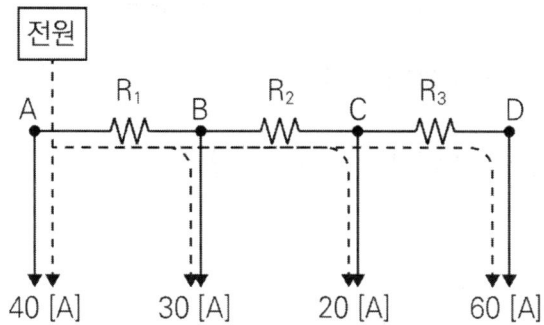

먼저 그림과 같이 A지점에서 전원을 공급하면 R_1지점에서는 B, C, D 의 전류가 병렬형태이기 때문에 I 값에 전류분배법칙에 의해서 모두 더한 $(30 + 20 + 60)$을 적용한다. R_2지점에서는 C, D의 전류가 병렬형태이기 때문에 I 값에 전류분배법칙에 의해서 모두 더한 $(20 + 60)$을 적용한다. 마지막으로 R_3지점에서는 D의 전류(60)만 적용한다.

따라서 A지점에서 전원을 공급하면 손실은

$P_A = (30 + 20 + 60)^2R + (20 + 60)^2R + 60^2R = 22100R$이 된다.

B, C, D에서도 동일한 방법으로 계산하면

$P_B = 40^2R + (20 + 60)^2R + 60^2R = 11600R$

$P_C = 40^2R + (40 + 30)^2R + 60^2R = 10100R$

$P_D = (40 + 30 + 20)^2R + (40 + 30)^2R + 40^2R = 14600R$이 되므로

손실이 가장 작은 점은 $10100R$인 C 지점이 된다.

핵심이론 전력손실

(1) 전력손실(P_ℓ)

$$P_\ell = I^2R = \left(\frac{P}{V\cos\theta}\right)^2 \times R = \frac{P^2R}{V^2\cos^2\theta} \qquad \therefore P_\ell \propto \frac{1}{V^2},\ P_\ell \propto \frac{1}{\cos^2\theta}$$

(2) 전력손실률(K)

$$K = \frac{P_\ell}{P} = \frac{\frac{P^2R}{V^2\cos^2\theta}}{P} = \frac{PR}{V^2\cos^2\theta} \qquad \therefore K \propto \frac{1}{V^2}$$

08 [배점 5점]

정답

□ 계산과정

$$P = \frac{9.8\,QHK}{\eta} = \frac{9.8 \times 15 \times \frac{1}{60} \times 20 \times 1.15}{0.7} = 80.5 \text{ [kW]}$$

$$용량 = \frac{P}{\cos\theta} = \frac{80.5}{0.8} = 100.625 \text{ [kVA]}$$

$$P_1 = \frac{P_V}{\sqrt{3}} = \frac{80.5}{\sqrt{3}} = 58.10 \text{ [kVA]}$$

답 75 [kVA]

해설

발전기 용량을 계산하면

- $P = \dfrac{9.8\,QHK}{\eta} = \dfrac{9.8 \times 15 \times \frac{1}{60} \times 20 \times 1.15}{0.7} = 80.5$ [kW]

- 용량 $= \dfrac{P}{\cos\theta} = \dfrac{80.5}{0.8} = 100.625$ [kVA]

- V결선 시 출력 $P_V = \sqrt{3}\,P_1$ 에서 $P_1 = \dfrac{P_V}{\sqrt{3}} = \dfrac{80.5}{\sqrt{3}} = 58.10$ [kVA]

58.10 [kVA]보다 큰 값인 표준용량 75 [kVA]으로 단상 변압기 용량을 선정한다.

핵심이론 발전기 용량

(1) 수력발전기 용량 $P_a = 9.8\,QHK\eta$ [kW]

(2) 펌프 용량 $P = \dfrac{9.8\,QHK}{\eta}$ [kW]

Q : 유량 [m³/s], H : 낙차 높이 [m], K : 여유계수, η : 효율

---

09 [배점 4점]

정답

① 0.8 [m]

② 0.6 [m]

부분점수

점수	세부기준
+2	① 정답인 경우 가산
+2	② 정답인 경우 가산

> **핵심이론** 332.17 고압 가공전선 상호 간의 접근 또는 교차
>
> 고압 가공전선이 다른 고압 가공 전선과 접근상태로 시설되거나 교차하여 시설되는 경우에는 다음에 따라 시설하여야 한다.
> 가. 위쪽 또는 옆쪽에 시설되는 고압 가공전선로는 고압 보안공사에 의할 것
> 나. 고압 가공전선 상호 간의 이격거리는 0.8 [m](어느 한쪽의 전선이 케이블인 경우에는 0.4 [m]) 이상, 하나의 고압 가공전선과 다른 고압 가공전선로의 지지물 사이의 이격거리는 0.6 [m](전선이 케이블인 경우에는 0.3 [m]) 이상일 것.

10

배점 5점

정답

□ 계산과정

$$실지수 = \frac{X \cdot Y}{H(X+Y)} = \frac{6 \times 8}{(3.5 - 0.8) \times (6+8)} = 1.27$$

답 1.25

해설

$$실지수 = \frac{X \cdot Y}{H(X+Y)}$$

X : 방의 가로 길이, Y : 방의 세로 길이, H : 작업면으로부터 광원의 높이
X = 6 [m], Y = 8 [m], H = 3.5 - 0.8 [m]
작업면으로부터 광원의 높이는 방바닥에서 천장까지의 높이 - 책상면의 높이로 계산한다.
단, 작업면으로부터 광원까지의 높이가 직접 주어지는 경우도 있으므로 주의하여야 한다.

$$\frac{6 \times 8}{(3.5 - 0.8) \times (6+8)} = 1.27$$

실지수표에서 1.27의 범위에 해당되는 부분의 실지수를 선정하면 1.25이다.

> [핵심이론] 실지수의 결정

(1) 실지수는 실의 크기 및 형태를 나타내는 척도
(2) 실지수 $= \dfrac{X \cdot Y}{H(X+Y)}$

　　　　　X : 방의 가로 길이, Y : 방의 세로 길이, H : 작업면으로부터 광원의 높이

11

> [정답]

(1) 공사 예정공정표
(2) 공사기성 신청서
(3) 설계수행 계획서

> [핵심이론] 설계용역의 관리(설계감리업무 수행지침 제8조)

설계감리원은 필요한 경우 다음 각 호의 문서를 비치하고, 그 세부양식은 발주자의 승인을 받아 설계감리과정을 기록하여야 하며, 설계감리 완료와 동시에 발주자에게 제출하여야 하며 필요한 경우 전자매체(CD-ROM)로 제출할 수 있다.
1. 근무상황부
2. 설계감리일지
3. 설계감리지시부
4. 설계감리기록부
5. 설계자와 협의사항 기록부
6. 설계감리 추진현황
7. 설계감리 검토의견 및 조치 결과서
8. 설계감리 주요검토결과
9. 설계도서 검토의견서
10. 설계도서(내역서, 수량산출 및 도면 등)를 검토한 근거서류
11. 해당 용역관련 수·발신 공문서 및 서류
12. 그 밖에 발주자가 요구하는 서류

12

정답

□ 계산과정

$$E = V + I_a R_a = 220 + \left(\frac{1000}{220} + \frac{220}{50}\right) \times 1 = 228.95 \, [\text{V}]$$

$$\varepsilon = \frac{E-V}{V} \times 100 = \frac{228.95 - 220}{220} \times 100 = 4.07 [\%]$$

답 4.07 [%]

해설

전압변동률 $\varepsilon = \dfrac{V_0 - V_n}{V_n} \times 100$을 구하기 위해서 정격전압($V_n$)이 주어졌으므로 무부하전압($V_0$)인 유기기전력($E$)을 구해보면 분권발전기의 유기기전력

$E = V + I_a R_a$에서 $I_a = I + I_f$이고 $I = \dfrac{P}{V}$, $I_f = \dfrac{V}{R_f}$이므로

$$\begin{aligned}
E &= V + I_a R_a \\
  &= V + (I + I_f) R_a \\
  &= V + \left(\frac{P}{V} + \frac{V}{R_f}\right) R_a \\
  &= 220 + \left(\frac{1000}{220} + \frac{220}{50}\right) \times 1 \\
  &= 228.95 \, [\text{V}]
\end{aligned}$$

$$\therefore \varepsilon = \frac{E-V}{V} \times 100 = \frac{228.95 - 220}{220} \times 100 = 4.07 [\%]$$

핵심이론 분권발전기

(1) 분권발전기의 회로구조

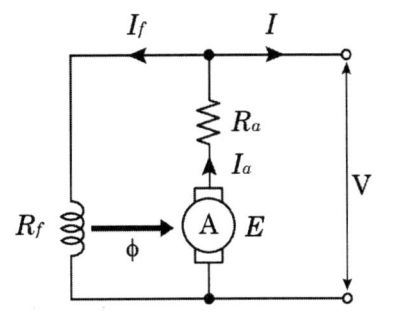

- $I_a = I + I_f$
- $I = \dfrac{P}{V}$, $I_f = \dfrac{V}{R_f}$
- $I_a = \dfrac{P}{V} + \dfrac{V}{R_f}$

I_a : 전기자전류
I : 부하전류
I_f : 계자전류
R_a : 전기자저항
R_f : 계자저항
P : 정격용량
V : 단자전압
E : 유기기전력

(2) 전압변동률

$$\varepsilon = \frac{\text{무부하 전압} - \text{정격전압}}{\text{정격전압}} \times 100 [\%] = \frac{V_0 - V_n}{V_n} \times 100 [\%]$$

13

배점 5점

정답

□ 계산과정

$$E_h = \frac{I}{r^2}\sin\theta = \frac{I}{h^2}\cos^2\theta\sin\theta = \frac{1000}{4^2}\times\left(\frac{4}{2\sqrt{3}}\right)^2\times\frac{2}{2\sqrt{3}} = 48.11\,[\text{lx}]$$

답 48.11 [lx]

해설

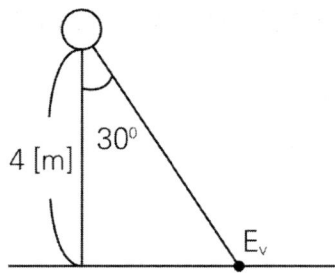

(1) 풀이 1

$\cos\theta = \dfrac{4}{2\sqrt{3}}$, $\sin\theta = \dfrac{2}{2\sqrt{3}}$ 이므로,

수평면 조도 $E_h = \dfrac{I}{r^2}\sin\theta = \dfrac{I}{h^2}\cos^2\theta\sin\theta = \dfrac{1000}{4^2}\times\left(\dfrac{4}{2\sqrt{3}}\right)^2\times\dfrac{2}{2\sqrt{3}} = 48.11\,[\text{lx}]$

계산기에 sin30°, cos30°를 대입하여 계산하여도 된다.

(2) 풀이 2

r의 값을 계산하면 $2\sqrt{3}$ [m]이므로,

$E_v = \dfrac{I}{r^2}\sin\theta = \dfrac{1000}{(2\sqrt{3})^2}\sin 30° = 48.11\,[\text{lx}]$

핵심이론 조도

- 수평면 조도 $E_h = E_n\cos\theta = \dfrac{I}{r^2}\cos\theta$

- 수직면 조도 $E_v = E_n\sin\theta = \dfrac{I}{r^2}\sin\theta$

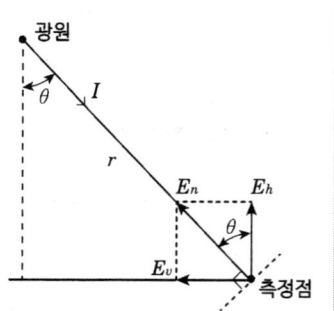

14

> 배점 6점

정답

① 588 [Pa], ② 588 [Pa], ③ 588 [Pa], ④ 1255 [Pa], ⑤ 1039 [Pa], ⑥ 666 [Pa]

부분점수

점수	세부기준
6	6개 모두 맞춘 경우
5	번호 상관없이 5개를 맞춘 경우
4	번호 상관없이 4개를 맞춘 경우
3	번호 상관없이 3개를 맞춘 경우
2	번호 상관없이 2개를 맞춘 경우
1	번호 상관없이 1개를 맞춘 경우

핵심이론 331.6 풍압하중의 종별과 적용

가. 갑종 풍압하중

표 331.6-1에서 정한 구성재의 수직 투영면적 1 [m²]에 대한 풍압을 기초로 하여 계산한 것

표 331.6-1 구성재의 수직 투영면적 1 [m²]에 대한 풍압

풍압을 받는 구분				구성재의 수직 투영면적 1 [m²]에 대한 풍압
목주				588 [Pa]
지지물	철주	원형의 것		588 [Pa]
		삼각형 또는 마름모형의 것		1412 [Pa]
		강관에 의하여 구성되는 4각형의 것		1117 [Pa]
		기타의 것		복재(腹材)가 전·후면에 겹치는 경우에는 1627 [Pa], 기타의 경우에는 1784 [Pa]
	철근 콘크리트 주	원형의 것		588 [Pa]
		기타의 것		882 [Pa]
	철탑	단주(완철류는 제외함)	원형의 것	588 [Pa]
			기타의 것	1117 [Pa]
		강관으로 구성되는 것(단주는 제외함)		1255 [Pa]
		기타의 것		2157 [Pa]

풍압을 받는 구분		구성재의 수직 투영면적 1 [m²]에 대한 풍압
전선 기타 가섭선	다도체(구성하는 전선이 2가닥마다 수평으로 배열되고 또한 그 전선 상호 간의 거리가 전선의 바깥지름의 20배 이하인 것에 한한다. 이하 같다)를 구성하는 전선	666 [Pa]
	기타의 것	745 [Pa]
애자장치(특고압 전선용의 것에 한한다)		1039 [Pa]
목주·철주(원형의 것에 한한다) 및 철근 콘크리트주의 완금류(특고압 전선로용의 것에 한한다)		단일재로서 사용하는 경우에는 1196 [Pa], 기타의 경우에는 1627 [Pa]

15

정답

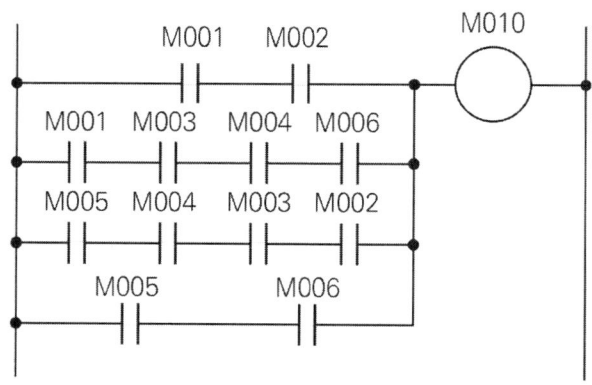

해설

PLC 프로그램 중 래더다이어그램 방식에서는 접점 상하 사이에 접점을 넣을 수 없다. 즉, 신호의 흐름은 단방향이어야 한다. 따라서 가능한 모든 경로를 각각 작성해주어야 한다. 다음과 같은 4가지의 경로를 병렬연결하면 된다.

(1) M001, M002

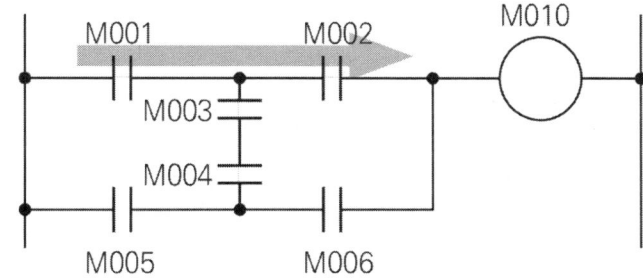

(2) M001, M003, M004, M006

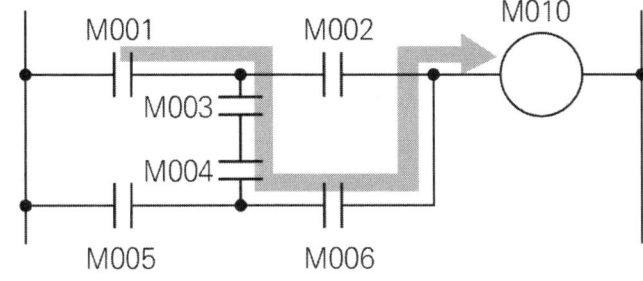

(3) M005, M004, M003, M002

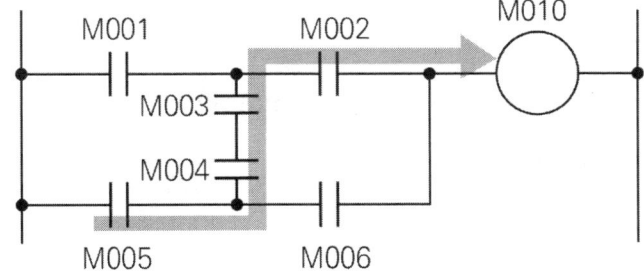

(4) M005, M006

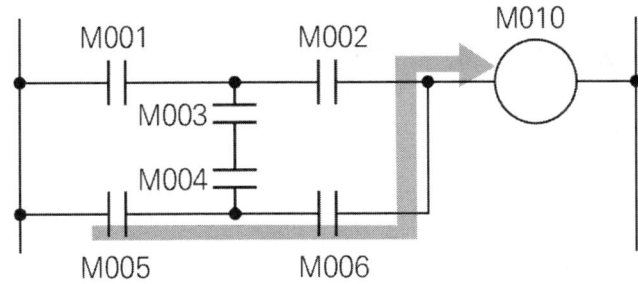

핵심이론	PL 제어 심벌		
명칭		심벌	접점의 명칭 및 기능
A접점		⊢⊢	상시개로 순시폐로
B접점		⊢⫽⊢	상시폐로 순시개로

16   배점 5점

정답

□ 계산과정

$$P = \frac{9.8QHK}{1000\eta} = \frac{9.8 \times 0.5 \times 500 \times 1.2}{1000 \times 0.6} = 4.9\,[\text{kW}]$$

답 4.9 [kW]

해설

송풍기용 전동기 용량은 다음 식으로 계산할 수 있다.

$$P = \frac{9.8QHK}{1000\eta}\,[\text{kW}]$$

단위에 주의하여야 한다. 풍량의 단위는 풍량 [m³/s], 풍압의 단위는 [mmAq]이다.

$$P = \frac{9.8QHK}{1000\eta} = \frac{9.8 \times 0.5 \times 500 \times 1.2}{1000 \times 0.6} = 4.9\,[\text{kW}]$$

핵심이론 송풍기용 전동기 용량

$$P = \frac{9.8QHK}{1000\eta}\,[\text{kW}]$$

P : 송풍기용량 [kW], K : 여유계수, Q : 풍량 [m³/s], H : 풍압 [mmAq], η : 효율

17

정답

(1) RL = $\overline{A}B\overline{C} + \overline{A}BC + ABC = B(\overline{A}+C)$
YL = $\overline{A}\,\overline{B}C + \overline{A}BC + A\overline{B}C + AB\overline{C} = \overline{B}C + B\overline{C}$
GL = $A\overline{B}\,\overline{C} + A\overline{B}C + AB\overline{C} = A(\overline{B}+\overline{C})$

(2)
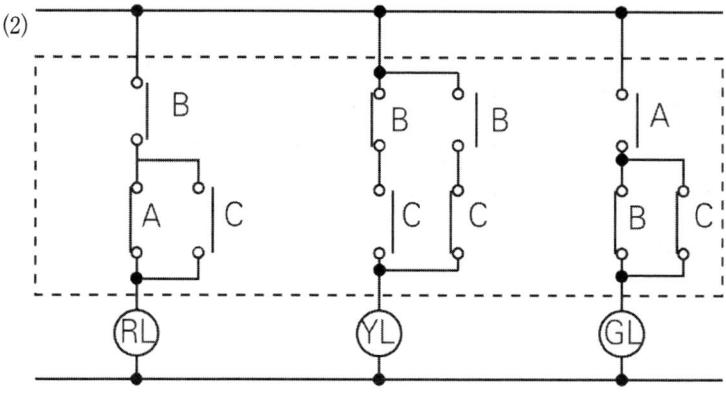

부분점수

점수	세부기준
+0 ~ 3	(1) 정답 개수당 1점씩 가산
+4	(2) 정답인 경우 가산

해설

(1) • Red Lamp
　Red Lamp에 1이 표시된 부분을 보면 101, 011, 111이므로 이 부분을 논리식으로 변환시키면 $\overline{A}B\overline{C} + \overline{A}BC + ABC$이다. 3개의 합을 나타내는 경우 하나의 항을 더 추가시켜서 2개끼리 결합법칙을 이용하여 식을 간소화시켜야 한다.
　$\overline{A}$는 2개, A는 1개, B는 3개, $\overline{C}$는 1개, C는 2개이므로 개수가 많은 $\overline{A}BC$를 한 번 더 더하여 항을 4개로 만든 후 2개씩 결합법칙을 적용시켜 간소화한다.
　∴ RL = $\overline{A}B\overline{C} + \overline{A}BC + ABC = \overline{A}B\overline{C} + \overline{A}BC + ABC + \overline{A}BC$
　　= $\overline{A}B(\overline{C}+C) + (A+\overline{A})BC = \overline{A}B \cdot 1 + 1 \cdot BC = \overline{A}B + BC = B(\overline{A}+C)$

- Yellow Lamp

  Yellow Lamp에 1이 표시된 부분을 보면 001, 010, 101, 110이므로 이 부분을 논리식으로 변환시키면 $\overline{A}\overline{B}C + \overline{A}B\overline{C} + A\overline{B}C + AB\overline{C}$이다. 일단 교환법칙 후 2개씩 결합법칙을 적용시켜 간소화한다.

  $\therefore$ YL = $\overline{A}\overline{B}C + \overline{A}B\overline{C} + A\overline{B}C + AB\overline{C} = \overline{A}\overline{B}C + A\overline{B}C + \overline{A}B\overline{C} + AB\overline{C}$
  $= (\overline{A} + A)\overline{B}C + (\overline{A} + A)B\overline{C} = 1 \cdot \overline{B}C + 1 \cdot B\overline{C} = \overline{B}C + B\overline{C}$

- Green Lamp

  Green Lamp에 1이 표시된 부분을 보면 100, 101, 110이다. 3개의 합을 나타내는 경우 하나의 항을 더 추가시켜서 2개끼리 결합법칙을 이용하여 식을 간소화시켜야 한다.

  A는 3개, $\overline{B}$는 2개, B는 1개, $\overline{C}$는 2개, C는 1개이므로 개수가 많은 $A\overline{B}C$를 한 번 더 더하여 항을 4개로 만든 후 2개씩 결합법칙을 적용시켜 간소화한다.

  $\therefore$ GL = $A\overline{B}\overline{C} + A\overline{B}C + AB\overline{C} = A\overline{B}\overline{C} + A\overline{B}C + AB\overline{C} + A\overline{B}\overline{C}$
  $= A\overline{B}(\overline{C} + C) + A\overline{C}(B + \overline{B}) = A\overline{B} \cdot 1 + A\overline{C} \cdot 1 = A\overline{B} + A\overline{C} = A(\overline{B} + \overline{C})$

핵심이론 부울대수의 기본법칙

$A + 0 = A$	$A + 1 = 1$	$A \cdot 0 = 0$	$A \cdot 1 = A$
$A + \overline{A} = 1$	$A \cdot \overline{A} = 0$	$A + A = A$	$A \cdot A = A$
$A + B = B + A$	$A \cdot B = B \cdot A$	$\overline{\overline{A}} = A$	
$A(B \cdot C) = (A \cdot B)C$		$A + (B + C) = (A + B) + C$	
$\overline{A + B} = \overline{A} \cdot \overline{B}$		$\overline{A \cdot B} = \overline{A} + \overline{B}$	
$A(B + C) = AB + AC$		$A + BC = (A + B) \cdot (A + C)$	
$A + A \cdot B = A$		$A \cdot (A + B) = A$	

(2) • RL = $B(\overline{A} + C)$

  A의 b접점과 C의 a접점이 병렬연결이고 이 병렬회로와 B의 a접점과 직렬연결
  직렬과 병렬의 순서는 바꾸어도 관계없다.

- YL = $\overline{B}C + B\overline{C}$

  B와 C는 배타적 논리합

- GL = $A(\overline{B} + \overline{C})$

  B의 b접점과 C의 b접점이 병렬연결이고 이 병렬회로와 A의 a접점이 직렬연결

핵심이론 논리식 기본회로

구분	AND	OR	NOT
기호	A · B	A + B	$\overline{A}$
무접점 회로			
유접점 회로			

18

배점 6점

정답

변압기의 냉각방식

냉각 방식		약호
유입식	유입 자냉식	ONAN
	유입 풍냉식	ONAF
	유입 수냉식	ONWF
	송유 자냉식	OFAN
	송유 풍냉식	OFAF
	송유 수냉식	OFWF

부분점수

점수	세부기준
6	6개 모두 맞춘 경우
5	번호 상관없이 5개를 맞춘 경우
4	번호 상관없이 4개를 맞춘 경우
3	번호 상관없이 3개를 맞춘 경우
2	번호 상관없이 2개를 맞춘 경우
1	번호 상관없이 1개를 맞춘 경우

해설

냉각방식 표기법 중에서

(1) 첫 번째글자는 내부냉각매체를 의미한다.
   - A : 공기, O : 절연유

(2) 두 번째 글자는 내부 냉각매체의 순환방식을 의미한다.
   - N : 자연 순환식, F : 강제 순환식

(3) 세 번재 글자는 외부 냉각매체를 의미한다.
   - A : 공기, W : 물

(4) 네 번째 글자는 외부 냉각매체의 순환방식을 의미한다.
   - N : 자연 순환식, F : 강제 순환식

※ 약자의 의미
   O : Oil, F : Forced, A : Air, N : Natural, W : Water

핵심이론 변압기의 냉각방식

냉각 방식		약호
건식	건식 자냉식	AN
	건식 풍냉식	AF
	건식 밀폐 자냉식	ANAN
유입식	유입 자냉식	ONAN
	유입 풍냉식	ONAF
	유입 수냉식	ONWF
	송유 자냉식	OFAN
	송유 풍냉식	OFAF
	송유 수냉식	OFWF

2025 모아 전기기사 실기 봉투모의고사

정답 및 해설

2회

● 부분점수 채점 기준은 한국산업인력관리공단에서 공식적으로 공개하지 않아 정확히 알 수 없으나, 채점위원으로 활동하셨던 교수님 및 기타 다양한 경로를 통해 얻은 정보를 분석하여 자체적으로 수립한 기준입니다. 따라서 모의고사에서 제시하는 부분점수 채점 기준이 실제 채점 결과에 대한 불복 청구 등의 법적 근거자료로 활용될 수 없음을 알려드립니다. 또한 부분점수 채점 기준에 대한 질문은 별도 답변을 하지 않습니다. 이 점 학습에 참고 바랍니다.

01

정답

(1) ▫ 계산과정

$$C = \frac{1}{L}KI \text{ 에서}$$

$$C = \frac{1}{L}\{K_1I_1 + K_2(I_2 - I_1) + K_3(I_3 - I_2) + K_4(I_4 - I_3)\}$$

$$= \frac{1}{0.8}\{2.65 \times 400 + 2.50(500 - 400) + 1.43(100 - 500) + 0.52(200 - 100)\}$$

$$= 987.5 \,[\text{Ah}]$$

답 987.5 [Ah]

(2) ① 연 축전지 : 2 [V/cell]
    ② 알칼리 축전지 : 1.2 [V/cell]

(3) 과전류 차단기

해설

축전지의 용량을 구하는 공식 $C = \frac{1}{L}KI$은 총 넓이의 합을 구하는 방법과 동일하다.

용량환산시간계수가 구간에 따라 모두 다르기 때문에 아래와 같은 식을 적용시킨다.

$$C = \frac{1}{L}\{K_1I_1 + K_2(I_2 - I_1) + K_3(I_3 - I_2) + K_4(I_4 - I_3)\}$$

이 식에서 $K_1 I_1$이 나타내는 영역은 아래 그림과 같이 양수가 되고

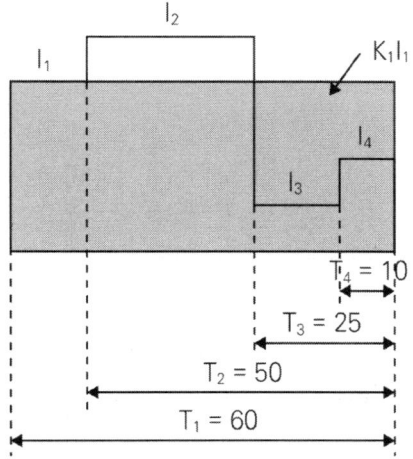

$K_2(I_2 - I_1)$이 나타내는 영역은 아래 그림과 같으며 양수가 되어서 더하고

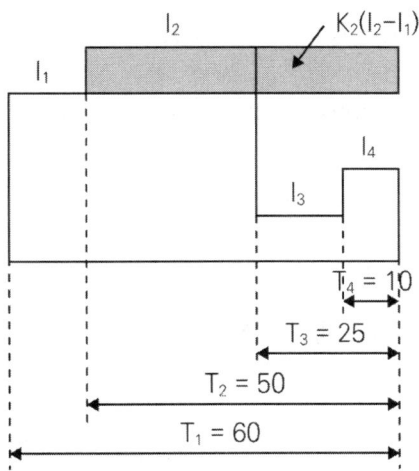

$K_3(I_3 - I_2)$이 나타내는 영역은 아래 그림과 같으며 음수($I_3 < I_2$)가 되어서 빼고

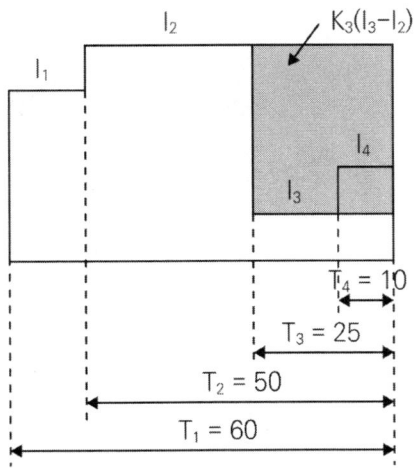

$K_4(I_4 - I_3)$이 나타내는 영역은 아래 그림과 같이 양수가 되어서 더하면 전체 넓이가 나온다.

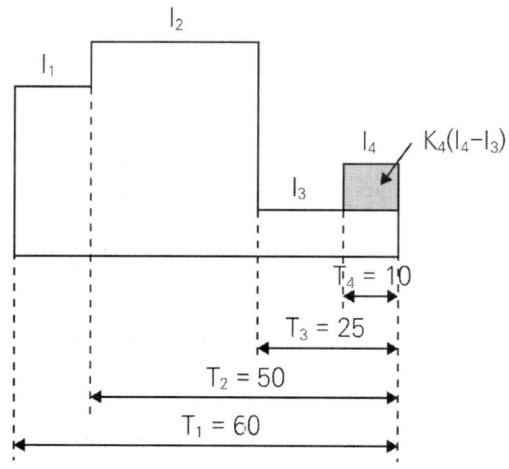

이 넓이의 합을 보수율 0.8로 나누게 되면 축전지의 용량은 아래와 같이 나온다.

$C = \dfrac{1}{L}\{K_1 I_1 + K_2(I_2 - I_1) + K_3(I_3 - I_2) + K_4(I_4 - I_3)\}$

$= \dfrac{1}{0.8}\{2.65 \times 400 + 2.50(500 - 400) + 1.43(100 - 500) + 0.52(200 - 100)\}$

$= 987.5\,[\text{Ah}]$

> **핵심이론** 축전지 용량을 구하는 공식
> - UPS가 동작되려면 전력공급을 위한 축전지가 필요하다.
> - $C = \dfrac{1}{L} KI\,[\text{Ah}]$
>
> C : 축전지의 용량 [Ah], L : 보수율(경년 용량 저하율)
> K : 용량환산시간계수, I : 방전전류 [A]

부분점수

점수	세부기준
+2	(1) 정답인 경우 가산
+2	(2) 정답인 경우 가산
+2	(3) 정답인 경우 가산

02 (배점 4점)

정답

- 절연 내력이 클 것
- 인화점이 높고 응고점은 낮을 것
- 비열이 커서 냉각효과가 클 것

해설

① 절연 내력이 클 것
② 점도가 낮고 유동성이 풍부할 것
③ 비열이 커서 냉각효과가 클 것
④ 인화점이 높고 응고점이 낮을 것
⑤ 다른 물질과 화학반응을 일으키지 말 것
⑥ 산화되지 않을 것

중에서 3가지만 선택해서 쓰면 된다.

부분점수

점수	세부기준
4	3가지를 모두 적은 경우
2	2가지를 적은 경우
1	1가지를 적은 경우

핵심이론 변압기유

(1) 변압기유의 열화
 ① 발생원인 : 변압기의 호흡작용에 의해 고온의 절연유가 외부 공기와의 접촉에 의해 발생
 ② 변압기 열화로 인한 문제점
  - 절연내력 저하
  - 냉각효과 감소
  - 침식작용 발생

(2) 열화에 대한 대책
 ① 콘서베이터 : 공기의 침입을 방지하여 기름의 열화 방지
 ② 브리더 : 브리더를 통해 공기 중의 습기 흡수(흡습제 사용)
 ③ 부흐홀츠계전기 : 변압기 내부 고장으로 인한 절연유의 온도 상승 시 발생하는 유증기를 검출하여 경보 및 차단
 ④ 봉상온도계 : 변압기유 유온 측정

(3) 변압기유 구비조건
 ① 절연 내력이 클 것
 ② 점도가 낮고 유동성이 풍부할 것
 ③ 비열이 커서 냉각효과가 클 것
 ④ 인화점이 높고 응고점이 낮을 것
 ⑤ 다른 물질과 화학반응을 일으키지 말 것
 ⑥ 산화되지 않을 것

03 배점 5점

정답

□ 계산과정

$$P_a = \frac{10 \times 0.5 + 20 \times 0.6 + 25 \times 0.7 + 30 \times 0.6}{1.3 \times 0.8} = 50.48 \text{ [kVA]}$$

답 75 [kVA]

해설

변압기 용량 [kVA] = $\dfrac{\text{설비 용량} \times \text{수용률}}{\text{부등률} \times \text{역률} \times \text{효율}}$

변압기 용량을 계산할 때는 설비 용량 × 수용률 외의 조건은 모두 나누어주면 된다.
주어지지 않은 값은 1로 간주한다.

$$P_a = \frac{10 \times 0.5 + 20 \times 0.6 + 25 \times 0.7 + 30 \times 0.6}{1.3 \times 0.8} = 50.48 \text{ [kVA]}$$

50.48보다 더 큰 값을 표에서 찾아 75 [kVA]으로 선정한다.

핵심이론 변압기의 용량 선정

변압기 용량 = $\dfrac{\text{설비 용량} \times \text{수용률}}{\text{부등률} \times \text{역률} \times \text{효율}}$

04

정답

① 2, ② 1.5, ③ 1, ④ 1.5, ⑤ 2

부분점수

점수	세부기준
5	5개를 모두 맞춘 경우
4	번호 상관없이 4개를 맞춘 경우
3	번호 상관없이 3개를 맞춘 경우
2	번호 상관없이 2개를 맞춘 경우
1	번호 상관없이 1개를 맞춘 경우

핵심이론 배선공사에 따른 지지점 간의 거리

- 애자사용 배선 : 2 [m]
- 금속몰드 배선 : 1.5 [m]
- 금속관 배선 : 2 [m]
- 케이블 배선 : 2 [m]
- 금속덕트 배선 : 3 [m]
- 라이팅덕트 배선 : 2 [m]
- 합성수지몰드 배선 : 0.5 [m]
- 합성수지관 배선 : 1.5 [m]
- 가요전선관 배선 : 1 [m]
- 캡타이어 케이블 배선 : 1 [m]
- 버스덕트 배선 : 3 [m]

05

정답

(1) • $X = \overline{A} \cdot B$
   • $Y = \overline{A} \cdot B + A \cdot \overline{B}$

(2)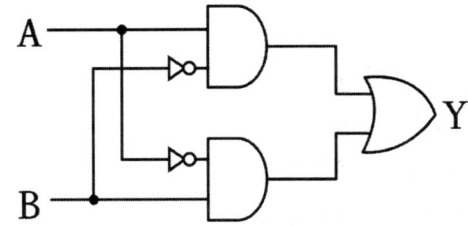

(3)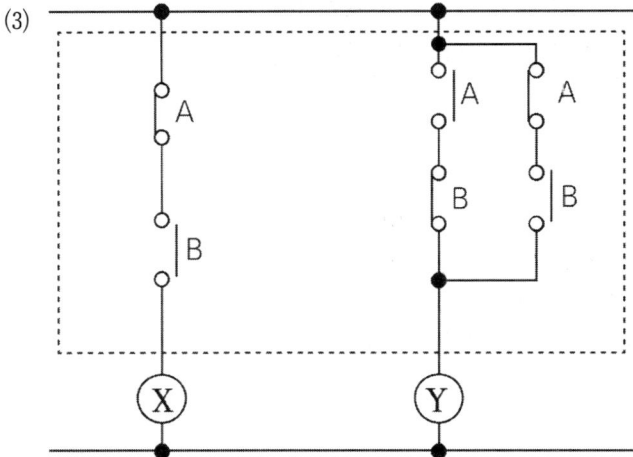

해설

(1) • X는 NOT-A와 B의 곱형태이므로 $\overline{A} \cdot B$
   • Y는 XOR(배타적 논리합)의 회로이므로 $\overline{A} \cdot B + A \cdot \overline{B}$

부분점수

점수	세부기준
+0 ~ 2	(1) 정답 개수당 1점씩 가산
+3	(2) 정답인 경우 가산
+3	(3) 정답인 경우 가산

핵심이론 XOR 연산(배타적 논리합)

(1) XOR(EXOR, 배타적-OR, Exclusive-OR) 연산은 두 입력 변수의 값이 같을 때에는 출력이 0이 되고 입력 변수의 값이 서로 다를 때에는 출력 값이 1이 되는 연산이다.
(2) 반일치 회로라고도 하며 보수 회로에 응용된다.
(3) XOR 연산의 진리표

A	B	Y = A⊕B
0	0	0
0	1	1
1	0	1
1	1	0

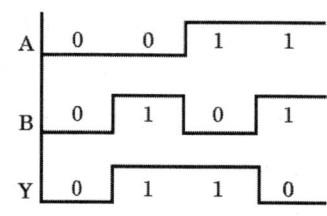

XOR 게이트의 동작도

(4) XOR 게이트의 논리 기호 및 논리식

게이트 구성	논리기호	논리식
		$Y = A\overline{B} + \overline{A}B$ $= A \oplus B$

06

정답

(1) 6 [m]

(2) 160 [kVA]를 초과하는 크기가 185 [kVA]이므로 $\dfrac{345-160}{10} = 18.5$

소수점 첫째자리에서 절상하면 올림을 하게 되면 18.5 → 19

∴ 아래 표를 참조하면 거리의 합계는 기본 6 [m]에 초과된 길이를 합하여
$6 + (19 \times 0.12) = 8.28 [m]$

부분점수

점수	세부기준
+3	(1) 정답인 경우 가산
+3	(2) 정답인 경우 가산

핵심이론 351.1 발전소 등의 울타리·담 등의 시설

2. 제1의 울타리·담 등은 다음에 따라 시설하여야 한다.
   가. 울타리·담 등의 높이는 2 [m] 이상으로 하고 지표면과 울타리·담 등의 하단 사이의 간격은 0.15 [m] 이하로 할 것
   나. 울타리·담 등과 고압 및 특고압의 충전 부분이 접근하는 경우에는 울타리·담 등의 높이와 울타리·담 등으로부터 충전부분까지 거리의 합계는 표 351.1-1에서 정한 값 이상으로 할 것.

표 351.1-1 발전소 등의 울타리·담 등의 시설 시 이격거리

사용전압의 구분	울타리·담 등의 높이와 울타리·담 등으로부터 충전부분까지의 거리의 합계
35 [kV] 이하	5 [m]
35 [kV] 초과 160 [kV] 이하	6 [m]
160 [kV] 초과	6 [m]에 160 [kV]를 초과하는 10 [kV] 또는 그 단수마다 0.12 [m]를 더한 값

07

정답

□ 계산과정

$$X = \sqrt{Z^2 - R^2} = \sqrt{7.5^2 - 2.5^2} = 7.07$$

$$\tan\theta = \frac{\sin\theta}{\cos\theta} = \frac{\sqrt{1-\cos^2\theta}}{\cos\theta} = \frac{\sqrt{1-0.85^2}}{0.85} = 0.62$$

$$\therefore P = \frac{\varepsilon V_r^2}{R + X\tan\theta} = \frac{0.1 \times 4000^2}{2.5 + 7.07 \times 0.62} = 232443 \,[\text{W}] = 232.44 \,[\text{kW}]$$

답 232.44 [kW]

해설

전압강하율 $\varepsilon = \frac{P}{V_r^2}(R + X\tan\theta)$을 전력으로 정리하면 $P = \frac{\varepsilon V_r^2}{R + X\tan\theta}$

여기에 대입해야 할 리액턴스 (X)와 $\tan\theta$를 구하면

$$X = \sqrt{Z^2 - R^2} = \sqrt{7.5^2 - 2.5^2} = 7.07$$

$$\tan\theta = \frac{\sin\theta}{\cos\theta} = \frac{\sqrt{1-\cos^2\theta}}{\cos\theta} = \frac{\sqrt{1-0.85^2}}{0.85} = 0.62$$

그리고 문제에서 주어진 수전단의 선간전압 $V_r = 4000\,[\text{V}]$, 전압강하율 $\varepsilon = 0.1$이므로 공식에 대입해주면

$$\therefore P = \frac{\varepsilon V_r^2}{R + X\tan\theta} = \frac{0.1 \times 4000^2}{2.5 + 7.07 \times 0.62} = 232443 \,[\text{W}] = 232.44 \,[\text{kW}]$$

> **핵심이론** 전압강하율

(1) 3상 시 전압강하율

$$\varepsilon = \frac{전압강하}{수전단\ 전압} \times 100\,[\%] = \frac{송전단\ 전압 - 수전단\ 전압}{수전단\ 전압} \times 100\,[\%]$$

$$= \frac{e}{V_r} \times 100 = \frac{V_s - V_r}{V_r} \times 100 = \frac{\sqrt{3}\,I(R\cos\theta + X\sin\theta)}{V_r} \times 100\,[\%]$$

$$= \frac{P}{V_r^2}(R + X\tan\theta) \times 100\,[\%] \qquad \qquad \text{※}\ P = \sqrt{3}\,V_r I$$

(2) 단상 시 전압강하율

$$\varepsilon = \frac{전압강하}{수전단\ 전압} \times 100\,[\%] = \frac{송전단\ 전압 - 수전단\ 전압}{수전단\ 전압} \times 100\,[\%]$$

$$= \frac{e}{V_r} \times 100 = \frac{V_s - V_r}{V_r} \times 100\,[\%] = \frac{I(R\cos\theta + X\sin\theta)}{V_r} \times 100\,[\%]$$

$$= \frac{P}{V_r^2}(R + X\tan\theta) \times 100\,[\%]$$

※ $P = V_r I$

08

배점 4점

정답

① 1.5

② 3

부분점수

점수	세부기준
+2	(1) 정답인 경우 가산
+2	(2) 정답인 경우 가산

> **핵심이론** 515.2.1 전기저장장치의 시설을 전용건물에 시설하는 경우
>
> 7. 전기저장장치 시설장소는 주변 시설(도로, 건물, 가연물질 등)로부터 1.5 [m] 이상 이격하고 다른 건물의 출입구나 피난계단 등 이와 유사한 장소로부터는 3 [m] 이상 이격하여야 한다.

09

정답

① 10 [%]
② 5 [%]

부분점수

점수	세부기준
+2	(1) 정답인 경우 가산
+2	(2) 정답인 경우 가산

핵심이론 부진공정 만회대책(전력시설물공사 감리업무 제45조)

① 감리원은 공사 진도율이 계획공정 대비 월간 공정실적이 10 [%] 이상 지연되거나 누계공정 실적이 5 [%] 이상 지연될 때에는 공사업자에게 부진사유 분석, 만회대책 및 만회공정표를 수립하여 제출하도록 지시하여야 한다.
② 감리원은 공사업자가 제출한 부진공정 만회대책을 검토·확인하고, 그 이행 상태를 주간 단위로 점검·평가하여야 하며, 공사추진회의 등을 통하여 미조치 내용에 대한 필요대책 등을 수립하여 정상 공정으로 회복할 수 있도록 조치하여야 한다.
③ 감리원은 검토·확인한 부진공정 만회대책과 그 이행상태의 점검·평가결과를 감리보고서에 수록하여 발주자에게 보고하여야 한다.

10

정답

차례	명령	번지	차례	명령	번지
0	STR NOT	M001	6	AND	M006
1	STR	M002	7	OR STR	-
2	AND	M003	8	AND STR	-
3	STR NOT	M004	9	OUT	M000
4	OR STR	-			
5	STR	M005			

해설

앞에서부터 번호 순서대로 회로를 해석한다.

0. M001 B접점 입력(STR NOT)
1. M002 A접점 새로운 그룹(STR)
2. M002과 M003을 직렬로 연결(AND)
3. M004 B접점 새로운 그룹(STR NOT)
4. 1, 2번 그룹과 3번을 병렬 그룹화(OR STR)
5. M005 A접점 새로운 그룹(STR)
6. M005과 M006을 직렬로 연결(AND)
7. 4번 그룹과 5, 6번 그룹을 병렬 그룹화(OR STR)
8. 0번과 7번 그룹을 직렬 그룹화(AND STR)
9. M000 출력(OUT)

부분점수

점수	세부기준
5	5개를 모두 맞춘 경우
4	번호 상관없이 4개를 맞춘 경우
3	번호 상관없이 3개를 맞춘 경우
2	번호 상관없이 2개를 맞춘 경우
1	번호 상관없이 1개를 맞춘 경우

핵심이론 PL 제어 심벌

명칭	심벌	접점의 명칭 및 기능
A접점	─┤ ├─	상시개로 순시폐로
B접점	─┤/├─	상시폐로 순시개로

11

정답

□ 계산과정

$$R = \pi B = \rho E$$

$$B = \frac{\rho E}{\pi} = \frac{0.6 \times 200}{\pi} = 38.19 \, [\text{cd/m}^2]$$

답 38.19 [cd/m²]

해설

완전확산면에서 다음 식이 성립한다.

구면이라고 했으므로, 휘도 $B = \dfrac{I}{r^2 \pi}$ 이므로,

광속발산도 공식에 의해 $R = \dfrac{F}{A} = \dfrac{4\pi I}{4\pi r^2} = \dfrac{I}{r^2} = \dfrac{I\pi}{r^2 \pi} = \pi B$

즉, $R = \pi B$ 또한 광속발산도는 반사율과 조도에 비례하므로 $R = \rho E$, 따라서 $\pi B = \rho E$ 이다.
위 식을 휘도 B에 대한 식으로 나타내면

$$B = \frac{\rho E}{\pi} = \frac{0.6 \times 200}{\pi} = 38.19 \, [\text{cd/m}^2]$$

R : 광속발산도, B : 휘도, ρ : 반사율, E : 조도, F : 광속, r : 광원으로부터의 거리

핵심이론 조명용어

(1) 조명용어

용어	기호	단위	정의
광속	F	루멘 [lm]	광원으로 나오는 복사속을 눈으로 보아 빛으로 느끼는 크기를 나타낸 것
광도	I	칸델라 [cd]	광원이 가지고 있는 빛의 세기
조도	E	럭스 [lx]	어떤 물체에 광속이 입사하여 그 면은 밝게 빛나는 정도로 밝음을 의미함
휘도	B	스틸브 [sb], 니트 [nt]	광원이 빛나는 정도
광속 발산도	R	레드럭스 [rlx]	물체의 어느 면에서 반사되어 발산하는 광속

(2) 광속(F)
　① 구광원　$F = 4\pi I \, [\text{lm}]$
　② 원주광원　$F = \pi^2 I \, [\text{lm}]$
　③ 평면판광원　$F = \pi I \, [\text{lm}]$

(3) 광도(I) $I = \dfrac{F}{\omega}$ [cd]

(4) 조도(E)

　① 법선 조도 $E_n = \dfrac{I}{r^2}$

　② 수평면 조도 $E_h = E_n \cos\theta = \dfrac{I}{r^2}\cos\theta$

　③ 수직면 조도 $E_v = E_n \sin\theta = \dfrac{I}{r^2}\sin\theta$

(5) 휘도(B) $B = \dfrac{I}{A}$ [nt]

(6) 광속 발산도(R) $R = \dfrac{F}{A}$ [rlx]

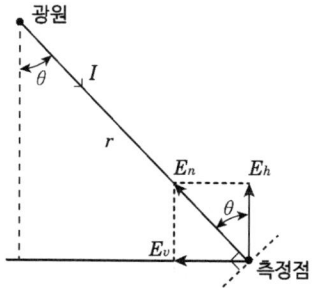

12

정답

(1) IT 계통
(2) TN-C 계통
(3) TN-S 계통

해설

(1) IT 계통 : Isolate(분리된) + Terra(접지)
　전원 측의 한 점을 임피던스를 통해 대지에 접속시키는 형태이므로 제1문자는 I, 노출도전부가 대지와 직접 접속되어 있으므로 제2문자는 T이므로 IT계통이다. 그냥 임피던스가 존재하면 IT 계통이라고 생각하면 된다.

(2) TN‑C 계통 : Terra(접지) + Neutral(중성의) + Combine(결합된)
　전원 측 한 점을 직접접지를 했으므로 제1문자는 T, 노출도전부를 전원계통의 접지점에 접속했으므로 제2문자는 N, 계통에 중성선과 보호도체의 기능을 동일도체로 겸용한 PEN 도체를 사용하였으므로 뒤에 C, 따라서 TN‑C 계통이다.

(3) TN‑S 계통 : Terra(접지) + Neutral(중성의) + Separate(분리된)
　전원 측 한 점을 직접접지를 했으므로 제1문자는 T, 노출도전부를 전원계통의 접지점에 접속했으므로 제2문자는 N, 계통 전체에 대해 별도의 중성선(N) 또는 보호도체(PE) 를 사용하였으므로 뒤에 S, 따라서 TN‑S 계통이다.

부분점수

점수	세부기준
+2	(1) 정답인 경우 가산
+2	(2) 정답인 경우 가산
+2	(3) 정답인 경우 가산

핵심이론 계통접지 문자의 정의

구분	구성	문자 정의
제1문자	전원계통과 대지의 관계	T : 한 점을 대지에 직접 접속
		I : 모든 충전부 대지와 절연 또는 고 임피던스 접지
제2문자	전기설비의 노출도전부와 대지의 관계	T : 노출도전부를 대지로 직접 접속
		N : 노출도전부를 전원계통의 접지점에 직접 접속 (접지점 : 교류계통에서는 통상적으로 중성점, 중성점 없을 시 선도체)
그 다음 문자 (문자 있는 경우)	중성선과 보호도체의 배치	S : 중성선 또는 접지된 선도체 외에 별도의 도체에 의해 제공되는 보호 기능
		C : 중선선과 보호기능을 겸용(PEN 도체)
기호설명	─●─	중성선(N), 중간도체(M)
	─/─	보호도체(PE)
	─/●─	중성선과 보호도체겸용(PEN)
약어설명	T	Terra(접지)
	N	Neutral(중성의)
	S	Separate(분리된)
	C	Combine(결합된)
	I	Isolate(분리된)

13

정답

(1) 첨두부하 : 500 [kW], 지속시간 : 4시간

(2) ☐ 계산과정

　　W = (100 + 200 + 400 + 500 + 200 + 100) × 4시간 = 6000 [kWh]

　　　　　　　　　　　답 8000 [kWh]

(3) ☐ 계산과정

　　평균전력 = $\dfrac{일\ 공급전력량}{24}$ = $\dfrac{6000}{24}$ = 250 [kW]

　　　　　　　　　　　답 250 [kW]

(4) ☐ 계산과정

　　일부하율 = $\dfrac{6000}{24 \times 500} \times 100 = 50\,[\%]$

　　　　　　　　　　　답 50 [%]

해설

(1) 첨두부하란 하루 사용량 중 최댓값을 의미하므로 500 [kW]이고 12시부터 16시까지의 구간에 해당되므로 지속시간은 4시간이다.

(2) 하루에 공급되는 전력량은 그래프의 넓이와 동일하게 된다.
- 0시 ~ 4시 : 100 [kW]
- 4시 ~ 8시 : 200 [kW]
- 8시 ~ 12시 : 400 [kW]
- 12시 ~ 16시 : 500 [kW]
- 16시 ~ 20시 : 200 [kW]
- 20시 ~ 24시 : 100 [kW]

모두 4시간씩이므로 W = (100 + 200 + 400 + 500 + 200 + 100) × 4시간 = 6000 [kWh]

부분점수

점수	세부기준
+2	(1) 정답인 경우 가산
+2	(2) 정답인 경우 가산
+2	(3) 정답인 경우 가산
+2	(4) 정답인 경우 가산

(3) 평균전력은 하루동안 쓴 전력량을 24시간으로 나누었을 때에 대한 평균값을 계산하는 것이므로
$\frac{6000}{24}$ = 250 [kW]로 계산한다.

(4) 일부하율 = $\frac{평균수용전력}{합성\ 최대수용전력}$ × 100 [%]이므로

일부하율 = $\frac{250}{500} \times 100 = 50[\%]$ 가 된다.

핵심이론	임의 기간별 부하율 계산		
	일부하율	월부하율	연부하율
	$\frac{전력량\ /\ 24}{일\ 최대전력}$	$\frac{전력량\ /\ 24 \times 30}{월\ 최대전력}$	$\frac{전력량\ /\ 24 \times 365}{연\ 최대전력}$

14   배점 6점

정답

(1)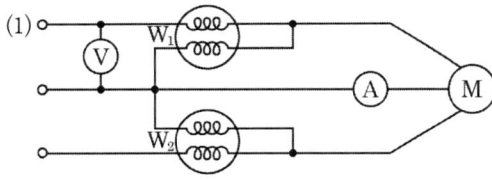

(2) ☐ 계산과정
$P = W_1 + W_2 = 2360 + 5950 = 8310\,[\text{W}]$

답 8.31 [kW]

(3) ☐ 계산과정
$P_a = \sqrt{3}\,VI = \sqrt{3} \times 200 \times 29.96 = 10378.4\,[\text{VA}]$

답 10.38 [kVA]

(4) ☐ 계산과정
$\cos\theta = \frac{P}{P_a} \times 100 = \frac{8310}{10378.4} \times 100 = 80.07[\%]$

답 80.07 [%]

(5) ☐ 계산과정
$W = \frac{P \times 6.12\eta}{V} = \frac{(8.31 \times 10^3) \times 6.12 \times 0.85}{20} = 2161.43\,[\text{kg}]$

답 2161.43 [kg]

해설

(1)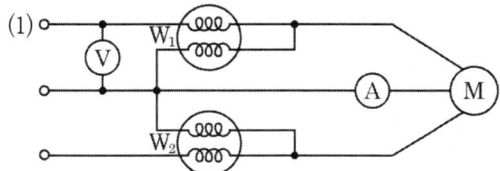

위 회로는 3상 평형이다. 전압계는 선간전압을 측정해야 하므로 3개 중 어느 2개의 상 사이에 설치하고 전류계는 선전류를 측정해야 하므로 3개의 상 중 한곳에 설치를 하면 된다.
만약 중성선이 명시되어 있다면 전압계는 중성선과 다른 한 상 사이에 설치하고 전류계는 중성선에 설치를 하면 된다.

(2) 유효전력 $P = W_1 + W_2$이므로
$P = W_1 + W_2 = 2360 + 5950 = 8310\,[\text{W}]$

(3) 피상전력 $P_a = \sqrt{3}\,VI$를 이용해서 구해도 되지만 2전력계법에 의해서 풀어보면 피상전력 $P_a = 2\sqrt{P_1^2 + P_2^2 - P_1 P_2}$이므로
$P_a = 2\sqrt{P_1^2 + P_2^2 - P_1 P_2} = 2\sqrt{2360^2 + 5950^2 - 2360 \times 5950} = 10378.8\,[\text{VA}]$으로 거의 같은 값이 구해진다.

(4) 역률 역시 2전력계법을 이용해서 구한 방법을 이용하면
$\cos\theta = \dfrac{P_1 + P_2}{2\sqrt{P_1^2 + P_2^2 - P_1 P_2}}$이므로
$\cos\theta = \dfrac{2360 + 5950}{2\sqrt{2360^2 + 5950^2 - 2360 \times 5950}} = \dfrac{8310}{10378.8} \times 100 = 80.07\,[\%]$으로 동일한 값이 나온다.

(5) 권상용 전동기의 출력 $P = \dfrac{WV[m/\min]}{6.12\eta}\,[\text{kW}]$에서 W은 권상하중 [ton], V는 분당 권상높이, η는 효율이므로 위 식을 권상하중의 값으로 정리한 후 주어진 값을 대입해보면
$W = \dfrac{P \times 6.12\eta}{V[m/\min]} = \dfrac{(8.31 \times 10^3) \times 6.12 \times 0.85}{20} = 2161.43\,[\text{kg}]$

답 2161.43 [kg]

권상용 전동기는 분당 권상높이로 대부분 출제가 되지만 혹시 초당 높이로 주어지게 된다면
$P = \dfrac{9.8\,WV[m/\sec]}{\eta}\,[\text{kW}]$에 적용해서 풀어야 한다.
$W = \dfrac{P \times \eta}{9.8\,V[m/\sec]}$로 정리하고 대입한다.

부분점수

점수	세부기준
+1	(1) 정답인 경우 가산
+1	(2) 정답인 경우 가산
+1	(3) 정답인 경우 가산
+1	(4) 정답인 경우 가산
+2	(5) 정답인 경우 가산

핵심이론 2전력계법

(1) 2전력계법

① 유효전력 : $P = P_1 + P_2$ [W]

② 무효전력 : $P_r = \sqrt{3}(P_1 - P_2)$ [Var]

③ 피상전력 : $P_a = 2\sqrt{P_1^2 + P_2^2 - P_1 P_2}$ [VA]

④ 역률 : $\cos\theta = \dfrac{P_1 + P_2}{2\sqrt{P_1^2 + P_2^2 - P_1 P_2}}$

(2) 권상용 전동기의 출력

$P = \dfrac{WV}{6.12\eta}$ [kW]

W : 권상하중 [ton], V : 분당 권상높이, η : 효율

15 배점 5점

정답

① 1.33 ② 1.5 ③ 1.3 ④ 2.2 ⑤ 2.0

부분점수

점수	세부기준
5	5개를 모두 맞춘 경우
4	번호 상관없이 4개를 맞춘 경우
3	번호 상관없이 3개를 맞춘 경우
2	번호 상관없이 2개를 맞춘 경우
1	번호 상관없이 1개를 맞춘 경우

> **핵심이론** 안전율

364.1 무선용 안테나 등을 지지하는 철탑 등의 시설
전력보안통신설비인 무선통신용 안테나 또는 반사판(이하 "무선용 안테나 등"이라 한다)을 지지하는 목주·철주·철근 콘크리트주 또는 철탑은 다음에 따라 시설하여야 한다. 다만 무선용 안테나 등이 전선로의 주위상태를 감시할 목적으로 시설되는 것일 경우에는 그러하지 아니하다.
가. 목주는 331.7, 331.10 및 332.7의 1의 "나"의 규정에 준하여 시설하는 외에 풍압하중에 대한 안전율은 1.5 이상이어야 한다.
나. 철주·철근 콘크리트주 또는 철탑의 기초 안전율은 1.5 이상이어야 한다.

332.7 고압 가공전선로의 지지물의 강도
1. 고압 가공전선로의 지지물로서 사용하는 목주는 다음에 따라 시설하여야 한다.
    가. 풍압하중에 대한 안전율은 1.3 이상일 것
    나. 굵기는 말구(末口) 지름 0.12 [m] 이상일 것

332.4 고압 가공전선의 안전율
고압 가공전선은 케이블인 경우 이외에는 다음에 규정하는 경우에 그 안전율이 경동선 또는 내열 동합금선은 2.2 이상, 그 밖의 전선은 2.5 이상이 되는 이도(弛度)로 시설하여야 한다.

331.7 가공전선로 지지물의 기초의 안전율
가공전선로의 지지물에 하중이 가하여지는 경우에 그 하중을 받는 지지물의 기초의 안전율은 2(333.14의 1에 규정하는 이상 시 상정하중이 가하여지는 경우의 그 이상 시 상정하중에 대한 철탑의 기초에 대하여는 1.33) 이상이어야 한다.

16

정답

□ 계산과정

- 1회선당 전류 $I_1 = \dfrac{P}{\sqrt{3}\,V\cos\theta} \times \dfrac{1}{4} = \dfrac{2000 \times 10^3}{\sqrt{3} \times 10 \times 10^3 \times 0.9} \times \dfrac{1}{4} = 32.075\ [\text{A}]$

- 1회선당 전력손실 $P_1 = P \times K \times \dfrac{1}{4} = 2000 \times 0.05 \times \dfrac{1}{4} = 25\ [\text{kW}]$

- $P_1 = 3I^2 R = 3I_1^2 \times \rho \dfrac{\ell}{A} \rightarrow A = 3I^2 \times \rho \dfrac{\ell}{P_\ell}$

$\therefore A = 3I^2 \times \rho \dfrac{\ell}{P_\ell} = 3 \times 32.075^2 \times \dfrac{1}{58} \times \dfrac{10 \times 10^3}{25 \times 10^3} = 21.59\ [\text{mm}^2]$

답 $25\ [\text{mm}^2]$

해설

먼저 전력손실 공식이 $P_\ell = 3I^2 R$이고 $R = \rho\dfrac{\ell}{A}$이므로 $P_\ell = 3I^2 \times \rho\dfrac{\ell}{A}$이다.

위 식을 구하고자하는 전선의 단면적 A로 정리하면 $A = 3I^2 \times \rho\dfrac{\ell}{P_\ell}$과 같다.

주의해야 할 것은 4회선이라고 했으므로 전류 I와 전력손실 P_ℓ는 1회선당 값을 구해서 대입해야 한다. 그리고 사용전선이 연동선이라고 했으므로 연동선의 고유저항 $\rho = \dfrac{1}{58}$ [$\Omega \cdot mm^2/m$], 선로의 길이 $\ell = 10 \times 10^3$ [m]이므로 1회선당 흐르는 전류 I_1와 전력손실 P_1을 구해서 대입한다. 전체 선로에 흐르는 전류는 $I = \dfrac{P}{\sqrt{3}\,V\cos\theta}$, 그런데 4회선이므로 각 1회선에 흐르는 전류는 4로 나눠서 $I_1 = \dfrac{P}{\sqrt{3}\,V\cos\theta} \times \dfrac{1}{4} = \dfrac{2000 \times 10^3}{\sqrt{3} \times 10 \times 10^3 \times 0.9} \times \dfrac{1}{4} = 32.075$ [A]이다.

또한 1회선당 전력손실은 송전손실율이 5 [%]이므로

$P_1 = P \times K \times \dfrac{1}{4} = 2000 \times 0.05 \times \dfrac{1}{4} = 25$ [kW] K : 전력손실율

따라서 구하고자 하는 전선의 단면적은

$A = 3I_1^2 \times \rho\dfrac{\ell}{P_1} = 3 \times 32.075^2 \times \dfrac{1}{58} \times \dfrac{10 \times 10^3}{25 \times 10^3} = 21.59$ [mm^2]로 계산되므로

주어진 표에서 25 [mm^2]를 선정하면 된다.

핵심이론   전력손실

- 연동선의 고유저항 $\rho = \dfrac{1}{58}$ [$\Omega \cdot mm^2/m$],
- 경동선의 고유저항 $\rho = \dfrac{1}{55}$ [$\Omega \cdot mm^2/m$]
- 알루미늄선의 고유저항 $\rho = \dfrac{1}{35}$ [$\Omega \cdot mm^2/m$]

17

정답

□ 계산과정

$R_T = R_0[1+\alpha(t_T-t_0)] = 100[1+0.00393(100-20)] = 131.44\,[\Omega]$

답 131.44 [Ω]

해설

R_0 : 현재 온도에서의 저항 = 100 [Ω]

α : 현재 온도에서의 온도계수 = 0.00393

t_T : 나중 온도 = 100 [℃]

t_0 : 처음 온도 = 20 [℃]

온도계수 공식에 각 요소를 대입한다.

$R_T = R_0[1+\alpha(t_T-t_0)][\Omega] = 100[1+0.00393(100-20)] = 131.44\,[\Omega]$

핵심이론 | 온도계수

온도가 1 [℃] 올라갈 때 저항의 증가 비율

$R_T = R_0[1+\alpha(t_T-t_0)]$

R_0 : 현재 온도에서의 저항, α : 현재 온도에서의 온도계수

t_T : 나중 온도, t_0 : 처음 온도

18

정답

□ 계산과정

$$m = \frac{860 \times 500 \times 24 \times 0.5}{0.36 \times 9600} = 1493.06 \,[L]$$

답 1493.06 [L]

해설

화력발전기의 효율은 다음과 같이 계산할 수 있다.

$\eta = \dfrac{860Pt}{mH} \times$ 부하율 (m : 연료 [kg], H : 발열량 [kcal/kg], P : 출력 [kW], t : 시간 [h])

위 식을 연료 소비량에 관한 식으로 정리한다.

- $m = \dfrac{860Pt}{\eta H} \times$ 부하율 $= \dfrac{860 \times 500 \times 24 \times 0.5}{0.36 \times 9600} = 1493.06\,[L]$

- 문제에서 중유의 발열량의 단위가 [kcal/L]으로 주어졌으므로, 값을 그대로 대입하였을 때 연료의 양은 [kg]이 아닌 [L]으로 계산된다.

핵심이론 화력발전기의 종합효율

$$\eta = \frac{860Pt}{mH} \times 100\,[\%]$$

m : 연료 [kg], H : 발열량 [kcal/kg]
P : 출력 [kW], t : 시간 [h]

2025 모아 전기기사 실기 봉투모의고사

정답 및 해설

3회

● 부분점수 채점 기준은 한국산업인력관리공단에서 공식적으로 공개하지 않아 정확히 알 수 없으나, 채점위원으로 활동하셨던 교수님 및 기타 다양한 경로를 통해 얻은 정보를 분석하여 자체적으로 수립한 기준입니다. 따라서 모의고사에서 제시하는 부분점수 채점 기준이 실제 채점 결과에 대한 불복 청구 등의 법적 근거자료로 활용될 수 없음을 알려드립니다. 또한 부분점수 채점 기준에 대한 질문은 별도 답변을 하지 않습니다. 이 점 학습에 참고 바랍니다.

전기기사 실기 봉투모의고사 3회 [정답 및 해설]

01 배점 13점

정답

(1) ㅁ 계산과정

$$P_a = \frac{300 \times 0.8}{0.8 \times 0.85} = 352.94 \text{ [kVA]}$$

답 400 [kVA]

(2)

약호	명칭	용도 및 역할
ASS	자동고장구분개폐기	무전압 시 개방이 가능하고, 과부하 시 자동으로 개폐할 수 있는 고장구분 개폐기로 돌입전류 억제기능을 갖고 있다.
PF	전력퓨즈	단락전류 및 고장전류 차단
LA	피뢰기	이상전압 침입 시 이를 대지로 방전시키며 속류를 차단한다.
PT	계기용변압기	고전압을 저전압(정격 110 [V])으로 변성한다.
CT	변류기	대전류를 소전류(정격 5 [A])으로 변성한다.

(3) • 명칭 : 자동 절체 개폐기(ATS)
  • 기능 : 주전원의 정전 시 또는 기준치 이하로 전압이 떨어질 경우 예비전원으로 자동 전환시킴으로써 정전 시간을 단축시킬 수 있는 개폐기

(4)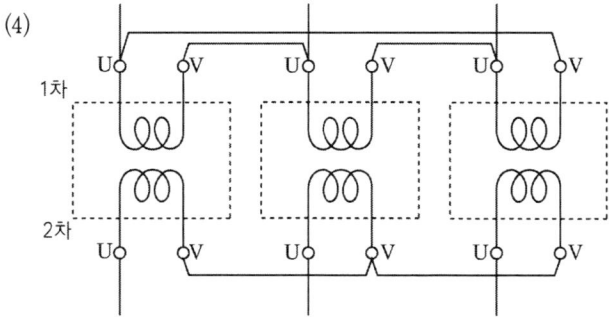

해설

(1) 변압기 용량 = $\dfrac{\text{설비용량} \times \text{수용률}}{\text{부등률} \times \text{역률} \times \text{효율}}$

$P_a = \dfrac{300 \times 0.8}{0.8 \times 0.85} = 352.94\ [\text{kVA}]$

변압기 표준용량 표에서 352.94보다 큰 값인 400 [kVA]로 선정한다.

답 400 [kVA]

(4) TR$_2$변압기는 △ - Y결선되어 있다.

부분점수

점수	세부기준
+3	(1) 정답인 경우 가산
+5	(2) 정답인 경우 가산
+2	(3) 정답인 경우 가산
+3	(4) 정답인 경우 가산

02 배점 5점

정답

□ 계산과정

변압기용량 = $\dfrac{300 \times 0.6}{0.7} = 257.14\ [\text{kVA}]$

답 300 [kVA]

해설

변압기 용량을 계산할 때는 설비 용량 × 수용률 외의 조건은 모두 나누어주면 된다.
주어지지 않은 값은 1로 간주한다.

변압기 용량 [kVA] = $\dfrac{\text{설비 용량} \times \text{수용률}}{\text{부등률} \times \text{역률} \times \text{효율}} = \dfrac{300 \times 0.6}{0.7} = 257.14\ [\text{kVA}]$

답 300 [kVA]

> **핵심이론** 변압기의 용량 선정

$$\text{변압기 용량} = \frac{\text{설비 용량} \times \text{수용률}}{\text{부등률} \times \text{역률} \times \text{효율}}$$

03   배점 5점

> **정답**

(1) 전기자 반작용에 의한 영향
  기전력이 감소, 중성축이 이동, 불꽃발생
(2) 전기자 반작용에 대한 대책
  보극설치, 보상권선 설치

> **부분점수**

점수	세부기준
+3	(1) 정답인 경우 가산
+2	(2) 정답인 경우 가산

> **핵심이론** 전기자 반작용

(1) 전기자 반작용의 영향
  ① 감자작용 : 주자속 감소
  ② 중성축 이동(편자작용)
    발전기는 회전 방향, 전동기는 회전 반대 방향으로 중성축 이동, 국부적 섬락 발생
  ③ 정류자 편간 전압이 균일하지 않아 브러시에서 불꽃 발생
(2) 전기자 반작용 대책
  ① 보상권선 설치 : 전기자와 직렬로 연결하여 전기자와 전류의 방향을 반대로 흘려주어 편자를 보상해 준다. 보극보다 정류개선효과가 좋다.
  ② 보극 설치 : 계자극과 90° 위치에 설치하여 정류코일 내에 유기되는 리액턴스 전압과 반대 방향으로 정류전압을 유기시켜 전기자 반작용효과를 상쇄한다.
    ㉠ 발전기 : 주자극의 회전 방향과 같은 극성의 보극 설치
    ㉡ 전동기 : 주자극의 회전 방향과 다른 극성의 보극 설치
  ③ 브러시 위치 이동 : 발전기는 회전 방향, 전동기는 회전 반대 방향

04

정답

(1) ▫ 계산과정
- 유효전력 $P = 240 + 120 = 360$ [kW]
- 무효전력 $Q = 240 \times \dfrac{0.8}{0.6} + 160 = 480$ [kVar]
- 피상전력 $P_a = \sqrt{360^2 + 480^2} = 600$ [kVA]

답 600 [kVA]

(2) ▫ 계산과정

합성 역률 $\cos\theta = \dfrac{P}{P_a} = \dfrac{360}{600} = 0.6$

답 60 [%]

(3) ▫ 계산과정

역률개선 방법 : 부하와 병렬로 콘덴서를 접속하여 진상 무효전류를 공급한다.

콘덴서 용량 $Q_c = P(\tan\theta_1 - \tan\theta_2) = 360\left(\dfrac{0.8}{0.6} - \dfrac{0.6}{0.8}\right) = 210$ [kVA]

답 210 [kVA]

해설

(1) 이 문제는 부하의 합성용량의 단위가 [kVA]이므로 피상전력임을 알 수 있다.

피상전력 P_a, 유효전력 P, 무효전력 Q라고 하면

$P_a = \sqrt{P^2 + Q^2}$ 이므로 $P = 240 + 120 = 360$, $Q = 240 \times \dfrac{0.8}{0.6} + 160 = 480$를 대입하여

$P_a = \sqrt{360^2 + 480^2} = 600$ [kVA]으로 구한다.

(2) 역률은 $\cos\theta = \dfrac{P}{P_a}$으로 구해낼 수 있으므로 앞에서 구한 값을 대입해보면

합성 역률 $\cos\theta = \dfrac{P}{P_a} = \dfrac{360}{600} = 0.6$임을 알 수 있다.

(3) 송배전선로에 연결된 부하는 유효전류뿐만 아니라 상당한 무효전류를 필요로 하며, 합성된 전류가 선로에 흐르므로 선로의 전압강하를 증대시키고, 손실을 증가시키며 이에 따른 전력설비의 이용률도 저하된다. 이에 대하여 부하와 병렬로 콘덴서를 접속하면 진상 무효전류를 공급하므로 부하의 역률이 개선된다.

또한 역률개선을 위한 콘덴서의 용량공식 $Q_c = P(\tan\theta_1 - \tan\theta_2)$을 이용한다.

P는 유효전력, θ_1은 개선 전 역률각, θ_2는 개선 후 역률각이므로

$\tan\theta_1 = \dfrac{\sin\theta_1}{\cos\theta_1} = \dfrac{\sqrt{1-0.6^2}}{0.6} = \dfrac{0.8}{0.6}$, $\tan\theta_2 = \dfrac{\sin\theta_2}{\cos\theta_2} = \dfrac{\sqrt{1-0.8^2}}{0.8} = \dfrac{0.6}{0.8}$

$\therefore Q_c = P(\tan\theta_1 - \tan\theta_2) = 360\left(\dfrac{0.8}{0.6} - \dfrac{0.6}{0.8}\right) = 210$

부분점수

점수	세부기준
+2	(1) 정답인 경우 가산
+2	(2) 정답인 경우 가산
+2	(3) 정답인 경우 가산

핵심이론 전력용 콘덴서

(1) 역률 개선 원리

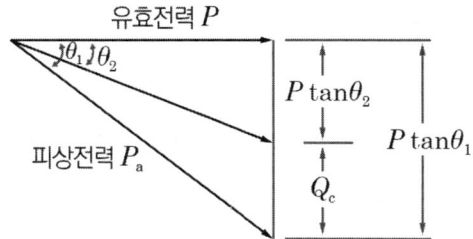

(2) 역률개선용 콘덴서 용량

$$Q_c = P(\tan\theta_1 - \tan\theta_2) = P\left(\frac{\sin\theta_1}{\cos\theta_1} - \frac{\sin\theta_2}{\cos\theta_2}\right) = P\left(\frac{\sqrt{1-\cos^2\theta_1}}{\cos\theta_1} - \frac{\sqrt{1-\cos^2\theta_2}}{\cos\theta_2}\right)$$

(3) 역률개선의 효과
 ① 전압강하개선
 ② 설비 용량의 실질적 증가
 ③ 변압기 및 선로의 손실 경감
 ④ 전력요금의 경감

---

05   배점 5점

정답

- 조속기 작동을 빠르게 함
- 고속도 재폐로 방식
- 직렬 콘덴서 설치
- 속응 여자 방식
- 중간 조상 방식

부분점수

점수	세부기준
5	5가지를 모두 적은 경우
4	4가지를 적은 경우
3	3가지를 적은 경우
2	2가지를 적은 경우
1	1가지를 적은 경우

핵심이론 안정도 향상 대책

(1) 직렬 리액턴스(X_L)을 작게 함
  ① 선로의 병행 회선수를 늘리거나 복도체 또는 다도체 방식을 사용
  ② 직렬 콘덴서를 삽입
  ③ 단락비($K_s = \dfrac{1}{Z_s}$)가 큰 기기 설치(단락비가 작을 시 전압변동률이 커짐)
(2) 계통 전압 변동 제어
  ① 속응 여자 방식을 채용
    발전기 여자전류를 상승시켜 단자 전압을 일정하게 유지하여 안정도를 증진
  ② 중간조상 방식을 채용
(3) 고장전류를 줄이고, 고장 구간 신속 차단
  ① 적당한 중성점 접지 방식(소호리액터)을 채용하여 지락전류를 감소시킴
  ② 고속도계전기, 고속도차단기 채용 및 고속도 재폐로 방식을 채용
  ③ 고속도 재폐로 방식
    짧은 시간에 자동적으로 회로를 폐로하여 운전하는 방식으로 계통 충격을 줄임
(4) 고장 발생 시 발전기 입·출력 불평형 감소
  ① 제동 저항기를 설치
  ② 원동기의 조속기 작동을 빠르게 함

06

정답

① 12
② 2
③ 40
④ 3

부분점수

점수	세부기준
4	4개를 모두 맞춘 경우
3	번호 상관없이 3개를 맞춘 경우
2	번호 상관없이 2개를 맞춘 경우
1	번호 상관없이 1개를 맞춘 경우

핵심이론 333.2 유도장해의 방지

1. 특고압 가공 전선로는 다음 "가", "나"에 따르고 또한 기설 가공 전화선로에 대하여 상시정전유도작용(常時靜電誘導作用)에 의한 통신상의 장해가 없도록 시설하여야 한다. 다만 가공 전화선이 통신용 케이블인 때 가공 전화선로의 관리자로부터 승낙을 얻은 경우에는 그러하지 아니하다.
   가. 사용전압이 60 [kV] 이하인 경우에는 전화선로의 길이 12 [km]마다 유도전류가 2 [μA]를 넘지 아니하도록 할 것
   나. 사용전압이 60 [kV]를 초과하는 경우에는 전화선로의 길이 40 [km]마다 유도전류가 3 [μA]을 넘지 아니하도록 할 것

07

배점 5점

정답

□ 계산과정

$$P = \frac{KQH}{6.12\eta} = \frac{1.1 \times 45 \times 15}{6.12 \times 0.8} = 151.65 \text{ [kW]}$$

답 151.65 [kW]

해설

양수 펌프용 전동기의 용량은 다음 식과 같이 계산할 수 있다.

펌프 용량 $P = \dfrac{9.8\,QHK}{\eta}$ [kW]

Q : 유량 [m³/s], H : 낙차 높이 [m], K : 여유계수, η : 효율

위 식에서 유량의 단위를 [m³/min]으로 변환해주면 다음과 같은 식이 나온다.

$P = \dfrac{9.8\,QHK}{\eta} \times \dfrac{1}{60} = \dfrac{KQH}{6.12\eta}$

문제에서 유량의 단위가 [m³/min]으로 주어졌으므로 이 식을 이용하면

$P = \dfrac{KQH}{6.12\eta} = \dfrac{1.1 \times 45 \times 15}{6.12 \times 0.8} = 151.65$ [kW]

| 핵심이론 | 펌프 용량 |

$P = \dfrac{9.8\,QHK}{\eta}$ [kW]

Q : 유량 [m³/s], H : 낙차 높이 [m], K : 여유계수, η : 효율

08

배점 6점

정답

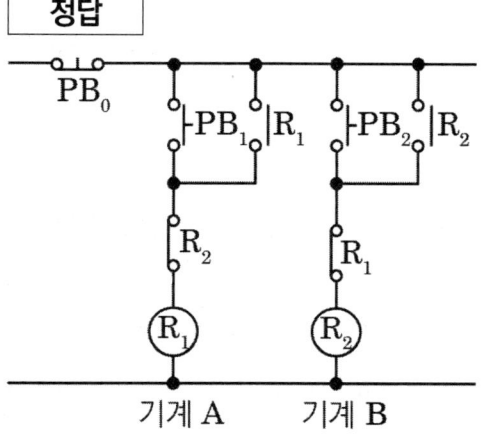

해설

타임차트를 살펴보면, 먼저 누른 푸쉬버튼을 우선으로 하여 작동하는 회로임을 알 수 있다.

PB_1을 누른 후에는 PB_2, PB_3을 눌러도 영향이 없다. 즉, 병렬 우선 순위회로임을 알 수 있다.

병렬 우선 순위회로를 구성하기 위해서는 하나의 접점이라도 동작했을 때 이후의 입력에 영향을 받지 않도록 인터록 회로를 구성해야 한다. 단, PB_0버튼을 눌렀을 때는 R_1, R_2가 동작한 상태더라도 회로가 소자되어야 한다.

따라서 R_1, R_2 계전기 앞에 각각 R_2, R_1 b접점을 그려서 넣으면 된다.

| 핵심이론 | 시퀀스 기본 표시 |

a접점	b접점

09

정답

(1) ☐ 계산과정

$$P = \frac{9.8\,Q[m^3/\min]\,HK}{\eta \times 60} = \frac{9.8 \times 12 \times 30}{0.75 \times 60} \times 1.1 = 86.24\,[\text{kW}]$$

답 86.24 [kW]

(2) ☐ 계산과정

$$P_1 = \frac{P_V}{\sqrt{3}\cos\theta} = \frac{86.24}{\sqrt{3}\times 1} = 49.79\,[\text{kVA}]$$

답 49.79 [kVA]

해설

(1) 펌프용 전동기의 용량식 $P = \dfrac{9.8Q[m^3/\sec]HK}{\eta}$ [kW]인데 주의해야 할 것이 유량의 단위이다. 초당 양수량인지인지 분당 양수량인지를 확인하고 위의 공식은 초당 양수량이 주어졌을 때에 대한 공식임을 확인한다. 문제에서는 분당 양수량을 주어졌기 때문에 1분이 60초이므로 60으로 나누어준다. 그러면 $P = \dfrac{9.8\,Q[m^3/\min]\,HK}{\eta \times 60}$ [kW]과 같은 형태가 되는데 $\dfrac{9.8}{60} = \dfrac{1}{6.12}$ 이므로 보통 $P = \dfrac{Q[m^3/\min]\,HK}{6.12\eta}$ [kW]로 쓰기도 한다. 단순히 공식을 외워서 대입만 하면 답이 나온다.

(2) 위 문제에서 V결선으로 83.24 [kW]의 전력을 공급해야 한다.
V결선 시 변압기의 용량 $P_V = P_1 \sqrt{3}\cos\theta$ [kW]이므로

$$\therefore P_1 = \frac{P_V}{\sqrt{3}} = \frac{86.24}{\sqrt{3}} = 49.79[\text{kVA}]$$

※ 변압기는 용량 단위로 [kVA]를 사용한다.

부분점수

점수	세부기준
+3	(1) 정답인 경우 가산
+3	(2) 정답인 경우 가산

핵심이론 펌프용 전동기

(1) 전동기 용량 구하는 식

$$P = \frac{9.8\,Q[m^3/\sec]HK}{\eta} = \frac{9.8\,Q[m^3/\min]HK}{\eta \times 60}[\text{kW}]$$

P : 전동기용량 [kW], K : 여유계수, Q : 유량, H : 전양정 [m], η : 효율, t : 시간 [s]

(2) V결선 시 변압기의 용량

$$P_V = P_1\sqrt{3}\cos\theta\,[\text{kVA}]$$

P_1 : 단상변압기 1대의 용량 [kVA], P_V : V결선 시 출력 [kW], $\cos\theta$: 역률

10

배점 4점

정답

보호각법, 회전구체법, 메시법

부분점수

점수	세부기준
4	3가지를 모두 적은 경우
2	2가지를 적은 경우
1	1가지를 적은 경우

핵심이론 152.1 수뢰부시스템

2. 수뢰부시스템의 배치는 다음에 의한다.

　가. 보호각법, 회전구체법, 메시법 중 하나 또는 조합된 방법으로 배치하여야 한다. 다만 피뢰시스템의 보호각, 회전구체 반경, 메시 크기의 최댓값은 KS C IEC 62305-3(피뢰시스템-제3부 : 구조물의 물리적 손상 및 인명위험)의 "표 2(피뢰시스템의 등급별 회전구체 반지름, 메시 치수와 보호각의 최댓값)" 및 "그림 1(피뢰시스템의 등급별 보호각)"에 따른다.

　나. 건축물·구조물의 뾰족한 부분, 모서리 등에 우선하여 배치한다.

11 배점 5점

정답

□ 계산과정

$$N = \frac{EAD}{FU} = \frac{200 \times 20 \times 20 \times 1.2}{3000 \times 0.6} = 53.33$$

답 54등

해설

$FUN = EAD$을 형광등의 개수에 관한 식으로 정리하면

$$N = \frac{EAD}{FU} = \frac{200 \times 20 \times 20 \times 1.2}{3000 \times 0.6} = 53.33$$

등의 개수는 절상하여 54등

※ 원하는 평균 조도 등에 대해 필요한 등의 개수를 계산할 때는 절상, 정해진 용량에 대해 사용할 수 있는 등의 개수를 계산할 때는 절사하여야 한다.

핵심이론 광속의 결정

$FUN = EAD$

- E : 평균 조도
- A : 실내의 면적
- U : 조명률
- D : 감광 보상율
- N : 소요 등수
- F : 1등당 광속
- M : 보수율(감광 보상율의 역수)

12 배점 5점

정답

(1) 배선용 차단기
(2) 누전차단기
(3) 개폐기(스위치)
(4) 과전류 소자 붙이 누전차단기
(5) 타임스위치

> **해설**

$\boxed{E}$ 는 보통 과전류 소자 붙이 누전차단기로 표기하기도 한다. 그러한 경우는 표기내용에 프레임 크기가 같이 명시되어 있다. 위 문제는 (4)에 과전류 소자 붙이 누전차단기가 보기로 나와 있기 때문에 그냥 누전차단기라고 적는 것이 정답이 된다.

핵심이론	심벌에 따른 표기의 의미
심벌	표기내용
$\boxed{B}$ 4P 250AF 180A	• 배선용차단기 • 4P : 극수 • 250AF : 프레임의 크기 • 180A : 정격전류
$\boxed{E}$ 2P 30A 20mA	• 누전차단기 • 2P : 극수 • 30A : 정격전류 • 20mA : 정격감도전류
$\boxed{S}$ 3P 30A f 10A	• 개폐기 • 3P : 극수 • 30A : 정격전류 • f 10A : 퓨즈정격전류

> **부분점수**

점수	세부기준
5	5개를 모두 맞춘 경우
4	번호 상관없이 4개를 맞춘 경우
3	번호 상관없이 3개를 맞춘 경우
2	번호 상관없이 2개를 맞춘 경우
1	번호 상관없이 1개를 맞춘 경우

13

정답

(1) $Z = (\overline{A}\,\overline{B}\,\overline{C} + \overline{A}\,\overline{B}C) + (A\overline{B}\,\overline{C} + A\overline{B}C) + (\overline{A}BC + ABC)$

$\quad = (\overline{A}\,\overline{B} + A\overline{B}) + BC$

$\quad = \overline{B} + BC = (\overline{B} + B)(\overline{B} + C)$

$\quad = \overline{B} + C$

(2)

A	B	C	Z
0	0	0	1
0	0	1	1
0	1	0	0
0	1	1	1
1	0	0	1
1	0	1	1
1	1	0	0
1	1	1	1

(3)
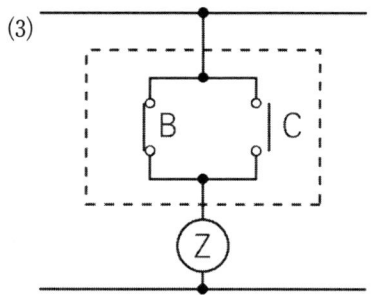

해설

(1) 교환법칙이 성립하므로

$Z = (\overline{A}\,\overline{B}\,\overline{C} + \overline{A}\,\overline{B}C) + (A\overline{B}\,\overline{C} + A\overline{B}C) + (\overline{A}BC + ABC)$ 이고 이를 분배법칙을 적용시켜서

첫 번째 항 $(\overline{A}\,\overline{B}\,\overline{C} + \overline{A}\,\overline{B}C) = \overline{A}\,\overline{B}(\overline{C} + C) = \overline{A}\,\overline{B} \cdot 1 = \overline{A}\,\overline{B}$

두 번째 항 $(A\overline{B}\,\overline{C} + A\overline{B}C) = A\overline{B}(\overline{C} + C) = A\overline{B} \cdot 1 = A\overline{B}$

세 번째 항 $(\overline{A}BC + ABC) = (\overline{A} + A)BC = 1 \cdot BC = BC$ 으로 정리가 된다.

다시 결합법칙을 적용하면

$Z = (\overline{A}\,\overline{B} + A\overline{B}) + BC = (\overline{A} + A)\overline{B} + BC = \overline{B} + BC$ 에서 $\overline{B}$를 각각 분배법칙을 적용하면

$\quad = (\overline{B} + B)(\overline{B} + C) = \overline{B} + C$

(2) a접점은 1, b접점은 0이므로 아래와 같이 표기된다.

$\overline{A}\,\overline{B}\,\overline{C} = 000$, $\overline{A}\,\overline{B}\,C = 001$, $A\,\overline{B}\,\overline{C} = 100$, $A\,\overline{B}\,C = 101$, $\overline{A}\,B\,C = 011$, $ABC = 111$이므로 각 번호에 해당되는 Z에 1, 그 외에는 0을 표기

(3) $\overline{B}+C$는 B의 b접점과 C의 a접점이 병렬로 연결되어 있는 회로식이다.

※ 합은 병렬구조, 곱은 직렬구조의 회로식이다.

부분점수

점수	세부기준
+2	(1) 정답인 경우 가산
+2	(2) 정답인 경우 가산
+3	(3) 정답인 경우 가산

핵심이론 부울대수의 기본법칙

$A+0=A$	$A+1=1$	$A \cdot 0 = 0$	$A \cdot 1 = A$
$A+\overline{A}=1$	$A \cdot \overline{A} = 0$	$A+A=A$	$A \cdot A = A$
$A+B=B+A$	$A \cdot B = B \cdot A$	$\overline{\overline{A}}=A$	
$A(B \cdot C) = (A \cdot B)C$		$A+(B+C)=(A+B)+C$	
$\overline{A+B}=\overline{A} \cdot \overline{B}$		$\overline{A \cdot B}=\overline{A}+\overline{B}$	
$A(B+C)=AB+AC$		$A+BC=(A+B) \cdot (A+C)$	
$A+A \cdot B = A$		$A \cdot (A+B) = A$	

14 배점 5점

정답

□ 계산과정

중심을 제외한 총 소선수 $60 = 3n(n+1)$에서 $n=4$

연선의 직경 $D = (2n+1)d = (2 \times 4 + 1) \times 2.6 = 23.4$ [mm]

답 23.4 [mm]

해설

- 중심을 포함한 총 소선수 $N = 3n(n+1)+1$
- 중심을 제외한 총 소선수 $N = 3n(n+1)$이므로
  $N = 60$일 때 층수 n을 구해보면
  $60 = 3n(n+1)$이므로 $n = 4$
  연선의 직경 $D = (2n+1)d$ 식에서 $d = 2.6$ [mm]이므로
  $D = (2 \times 4 + 1) \times 2.6 = 23.4$ [mm]

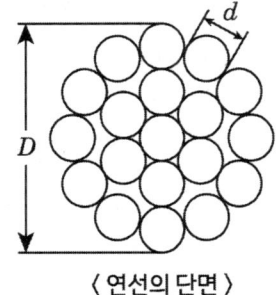

〈 연선의 단면 〉

※ 연선의 총 소선의 수는 중심선 1개 1층 6개, 2층 6 × 2 = 12개, 3층 6 × 3 = 18개, 4층 6 × 4 = 24개처럼 각 층의 소선 수는 6의 배수로 증가하는 규칙을 가지고 있다.

핵심이론 연선의 각 요소

(1) 총 소선수 : $N = 3n(n+1)+1$
(2) 연선의 바깥지름 : $D = (2n+1)d$ [mm]

n : 중심 소선을 뺀 층수
d : 소선의 지름

층수(n)	1	2	3	4	5
총 소선수(N)	7	19	37	61	91

15 배점 5점

정답

① 직선형 ② 각도형 ③ 인류형 ④ 내장형 ⑤ 보강형

부분점수

점수	세부기준
5	5개를 모두 맞춘 경우
4	번호 상관없이 4개를 맞춘 경우
3	번호 상관없이 3개를 맞춘 경우
2	번호 상관없이 2개를 맞춘 경우
1	번호 상관없이 1개를 맞춘 경우

> **핵심이론** 333.11 특고압 가공전선로의 철주·철근 콘크리트주 또는 철탑의 종류
>
> 특고압 가공전선로의 지지물로 사용하는 B종 철근·B종 콘크리트주 또는 철탑의 종류는 다음과 같다.
>
> 가. 직선형
> 　전선로의 직선부분(3° 이하인 수평각도를 이루는 곳을 포함한다. 이하 같다)에 사용하는 것. 다만 내장형 및 보강형에 속하는 것을 제외한다.
>
> 나. 각도형
> 　전선로 중 3°를 초과하는 수평각도를 이루는 곳에 사용하는 것
>
> 다. 인류형
> 　전가섭선을 인류하는 곳에 사용하는 것
>
> 라. 내장형
> 　전선로의 지지물 양쪽의 경간의 차가 큰 곳에 사용하는 것
>
> 마. 보강형
> 　전선로의 직선부분에 그 보강을 위하여 사용하는 것

16 　　　　　　　　　　　　　　　　　　　　　　　　　　　　　　　　　　　　배점 5점

정답

① 설계변경 개요서　② 설계변경 도면　③ 설계 설명서　④ 계산서　⑤ 수량산출 조서

부분점수

점수	세부기준
5	5개를 모두 맞춘 경우
4	4개를 맞춘 경우
3	3개를 맞춘 경우
2	2개를 맞춘 경우
1	1개를 맞춘 경우

> **핵심이론** 설계변경 및 계약금액 조정(전력시설물 공사감리업무 수행지침 제52조)
>
> 발주자는 외부적 사업환경의 변동, 사업추진 기본계획의 조정, 민원에 따른 노선변경, 공법변경, 그 밖의 시설물 추가 등으로 설계변경이 필요한 경우에는 다음 각 호의 서류를 첨부하여 반드시 서면으로 책임감리원에게 설계변경을 하도록 지시하여야 한다. 다만 발주자가 설계변경 도서를 작성할 수 없을 경우에는 설계변경개요서만 첨부하여 설계변경 지시를 할 수 있다.
> 1. 설계변경 개요서
> 2. 설계변경 도면, 설계설명서, 계산서 등
> 3. 수량산출 조서
> 4. 그 밖에 필요한 서류

17 [배점 5점]

정답

□ 계산과정

- $\%Z_s = \dfrac{P_n Z_s}{10\,V^2}$

- $Z_s = \dfrac{10\,V^2 \times \%Z_s}{P_n} = \dfrac{10 \times 9.5^2 \times 90}{56000} = 1.45\,[\Omega]$

답 1.45 [Ω]

해설

%동기임피던스에 관한 공식 $\%Z_s = \dfrac{P_n Z_s}{10\,V^2}$ 에서 주의해야 할 점은 정격용량 P_n의 단위가 [kVA]이고 전압 V의 단위가 [kV]라는 점이다.

위 공식을 동기임피던스인 Z_s로 정리하면 $Z_s = \dfrac{10\,V^2 \times \%Z_s}{P_n}$ 이므로 주어진 값들을 대입하면

$Z_s = \dfrac{10\,V^2 \times \%Z_s}{P_n} = \dfrac{10 \times 9.5^2 \times 90}{56000} = 1.45\,[\Omega]$ 이다.

> **핵심이론** %동기임피던스

(1) 정의 : 정격 상전압에 대한 임피던스 강하의 비

(2) 공식 : $\%Z_s = \dfrac{I_n Z_s}{E} \times 100$

(3) 발전공식 유도

$$\%Z_s = \dfrac{I_n Z_s}{E} \times 100 = \dfrac{I_n Z_s}{\dfrac{V}{\sqrt{3}}} \times 100 = \dfrac{\sqrt{3}\,I_n Z_s}{V} \times 100 = \dfrac{\sqrt{3}\,VI_n Z_s}{V^2} \times 100$$

(단위가 [kV]로 주어지므로 ⇒) $= \dfrac{\sqrt{3}\,(V \times 10^3) I_n Z_s}{(V \times 10^3)^2} \times 100 = \dfrac{P_n \cdot Z_s}{10\,V^2}$

18

정답

관등회로

> **핵심이론** 112 용어 정의
>
> "**관등회로**"란 방전등용 안정기 또는 방전등용 변압기로부터 방전관까지의 전로를 말한다.

모아바 www.moa-ba.com
모아소방전기학원 www.moate.co.kr

전기기사 합격!
여러분의 합격은 모아의 보람입니다.

끊임없이 변화를
추구하는 교육기업
〰️ 모아교육그룹 〰️

모아를 선택해주신 여러분께 감사드립니다.

✔ 모아는 혁신적인 교육을 통해 인간의 사고(思考)를
  확장 및 변화시킬 수 있다고 믿고 있습니다.

✔ 모아는 미래를 교육으로 변화시킬 수 있다고 믿고 있습니다.

✔ 모아는 청년부터 장년, 중년, 노년까지의
  성인교육에 중점을 두고 사업을 진행하고 있습니다.

초고령화, 불확실성의 시대

모아는 당신의 미래를 함께 하는 혁신적인 교육 플랫폼이 되겠습니다.

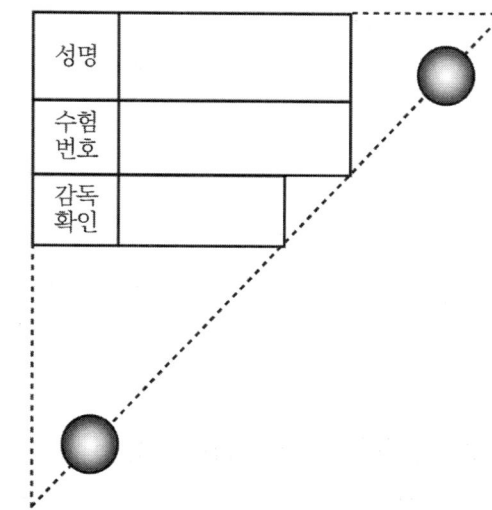

국가기술자격 실기시험 문제 및 답안지

20○○년도 기사 제1회 필답형 실기시험

종목	시험시간	배점	문제수
전기기사	2시간 30분	100	18

1회

＊＊ 수험자 유의사항 ＊＊

일반사항

1. 시험 문제를 받는 즉시 응시하고자 하는 종목의 문제가 맞는지를 확인하여야 합니다.
2. 시험 문제지 총 면수, 문제 번호 순서, 인쇄 상태 등을 확인하고(확인 이후 시험 문제지 교부 불가), 수험번호 및 성명을 답안지에 기재하여야 합니다.
3. 부정 또는 불공정한 방법(시험문제 내용과 관련된 메모지 사용 등)으로 시험을 치른 자는 부정행위자로 처리되어 당해 시험을 중지 또는 무효로 하고, 3년간 국가 기술검정의 응시자격이 정지됩니다.
4. 전자계산기는 허용된 계산기에 한해서만 사용이 가능합니다.
5. 시험 중 전자·통신기기(휴대폰 및 스마트 워치 등)를 지참하거나 사용할 수 없습니다.
6. 문제 및 답안(지), 채점기준은 관계법령(공공기관의 정보공개에 관한 법률 제9조(비공개대상정보) 1항 5호)에 의해 공개하지 않습니다.
7. 복합형 시험의 경우 시험의 전 과정(필답형, 작업형)을 응시하지 않은 경우 채점 대상에서 제외합니다.
8. 국가기술자격 시험문제는 일부 또는 전부가 저작권법상 보호되는 저작물이고, 저작권자는 한국산업인력 공단입니다. 문제의 일부 또는 전부를 무단 복제, 배포, 출판, 전자출판하는 등 저작권을 침해하는 일체의 행위를 금합니다.
9. 국가기술자격증 신청·발급은 온라인으로만 가능합니다(공단 방문 신청·발급 폐지, Q-net 공지사항 및 수험표 참조).

채점사항

1. 수험자 인적사항 및 답안 작성은 반드시 검은색 필기구만 사용하여야 하며, 그 외 연필류, 유색 필기구, 지워지는 펜 등을 사용한 답안은 채점하지 않으며 0점 처리됩니다.
2. 답란에는 문제와 관련 없는 불필요한 낙서나 특이한 기록사항 등을 기재하여서는 안 되며, 답안지의 인적사항 기재란 외의 부분에 답안과 관련 없는 특수한 표시를 하거나 특정인임을 암시하는 경우 답안지 전체를 0점 처리합니다.
3. 계산문제는 반드시 「계산과정」과 「답」란에 기재하여야 하며, 「계산과정」과 「답」이 모두 맞아야 정답으로 인정됩니다.
4. 계산문제는 최종 결괏값(답)에서 소수 셋째 자리에서 반올림하여 둘째 자리까지 구하여야 하나 개별 문제에서 소수 처리에 대한 요구사항이 있을 경우 그 요구사항에 따라야 합니다.
5. 답에 단위가 없으면 오답으로 처리됩니다. (단, 문제의 요구사항에 단위가 주어졌을 경우는 생략되어도 무방합니다)
6. 문제에서 요구한 가지 수(항수) 이상을 답란에 표기한 경우에는 답란기재 순으로 요구한 가지 수(항수)만 채점하고 한 항에 여러 가지를 기재하더라도 한 가지로 보며 그중 정답과 오답이 함께 기재되어 있을 경우 오답으로 처리됩니다.
7. 답안 정정 시에는 정정하고자 하는 단어에 두 줄(=)을 긋고 다시 작성하거나 수정테이프(수정액 제외)를 사용하여 정정하시기 바랍니다.

※ 수험자 유의사항 미준수로 인한 채점상의 불이익은 수험자 본인에게 책임이 있습니다.

〈국가기술자격 부정행위 예방 캠페인 : "부정행위, 묵인하면 계속됩니다."〉

1. 다음 그림은 3∅4W 22.9 [kV] 수전설비 단선결선도이다. 다음 각 물음에 답하시오.

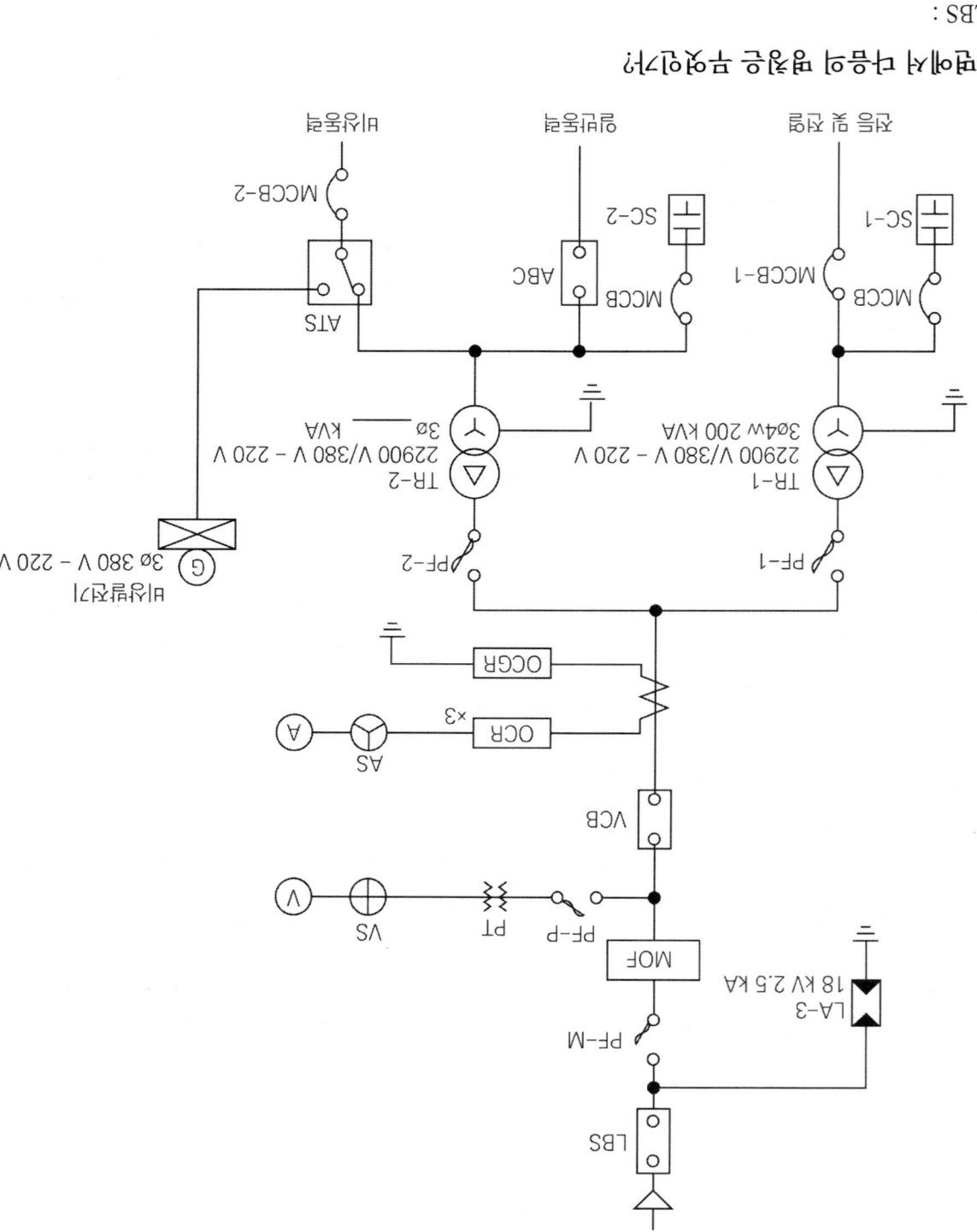

(1) 도면에서 다음의 명칭은 무엇인가?
- LBS :
- ATS :

(2) 도면에서 아래의 접지 공사의 심벌을 나타내기 그 명칭을 쓰시오.
- ⊕ :
- Ⓔ :

------------------------------------ 여 백 ------------------------------------

※ 다음 여백은 계산 연습공간으로 사용하십시오.

(3) 수전설비 단선결선도의 부하집계 및 입력 환산표의 빈칸을 채워 완성하시오. (단, 입력환산 [kVA]은 계산 값의 소수 둘째자리에서 반올림한다)

구분	전등 및 전열	일반동력	비상동력
설비용량 및 효율	350 [kW] 100 [%]	500 [kW] 90 [%]	• 유도전동기1 : 7.5 [kW] 1대 80 [%] • 유도전동기2 : 11 [kW] 2대 85 [%] • 유도전동기3 : 15 [kW] 1대 85 [%] • 비상조명 : 9000 [W] 100 [%]
평균(종합)역률	80 [%]	85 [%]	90 [%]
수용률	60 [%]	50 [%]	100 [%]

[부하집계 및 입력환산표]

구분		설비용량 [kW]	효율 [%]	역률 [%]	입력환산 [kVA]
전등 및 전열		350	100	80	437.5
일반동력		500	90	85	653.59
비상동력	유도전동기1	7.5	80	90	10.42
	유도전동기2	11 × 2	85	90	28.76
	유도전동기3	15	85	90	19.61
	비상조명	9	100	90	10
	소계	-	-	-	68.79

(4) 단선결선도와 "(3)"항의 부하집계표에 의한 TR-2의 적정용량을 선정하시오.

[참고사항]
• 일반 동력군과 비상 동력군 간의 부등률은 1.2로 본다.
• 변압기 용량은 15 [%] 정도의 여유를 갖게 한다.
• 변압기의 표준규격 [kVA]은 200, 300, 400, 500, 600으로 한다.

○ 계산과정 :

$$TR_2 = \frac{653.59 \times 0.5 + 68.79 \times 1.0}{1.2} \times 1.15 = 379.10 \text{ [kVA]}$$

○ 답 : 400 [kVA]

2. 영상전류검출의 시퀀스공으로 정지기부 공사방법 3가지를 쓰시오.

득점	배점
	4

3. 다음은 수전용량이 1300 [kVA]인 22.9 [kV] 수전설비의 보호협조을 나타낸 것이다. CT비가 50/5인 변류기를 이용하여 시설하였고 과부하 시 정격기가 정격전류 130 [%]의 동작전류 동작신호 발생될 때, 다음 물음에 답하시오.

득점	배점
	9

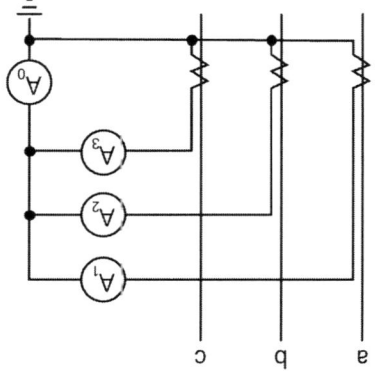

(1) 이 설 보호결선방식지 쓰시오.

(2) A_1 계전기의 명칭과 약호을 쓰시오.

(3) A_0 계전기의 명칭과 약호을 쓰시오.

(4) A_1 계전기의 탭 전류를 아래에서 선정하시오.

| 3 | 4 | 5 | 6 | 8 | 10 |

○계산과정 :

○답 :

------------------------ 여 유 분 -------------------------
※ 다음 예비용 계산 연습공으로 사용하십시오.

4. 정격 출력 30 [kW], 역률 0.8, 효율 0.8인 3상 유도전동기에 변압기를 V결선하여 전원을 공급하고자 한다. 변압기 1대의 용량 [kVA]을 선정하시오.

[변압기 표준 용량 [kVA]]

10	15	20	30	50	75	100

○ 계산과정 :

○ 답 :

5. 3상 4선식 380/220 [V] 배전방식에서 구내배선 긍장이 50 [m], 부하의 최대 전류는 100 [A]인 배선에서 전압 강하를 5 [V]로 하고자 하는 경우에 사용하는 전선의 공칭 단면적 [mm²]은 얼마로 선정해야 하는가?

전선 굵기 [mm²]	2.5	4	6	10	16	25	35	70	95

○ 계산과정 :

○ 답 :

6. 다음 전기철도 용어의 정의를 쓰시오.

(1) 전차선

(2) 급전선

(3) 조가선

------------------------------ 연 습 란 ------------------------------

※ 다음 여백은 계산 연습란으로 사용하십시오.

※ 다음 예제는 계산 연습용으로 사용하십시오.
------------------------------- 연 습 란 -------------------------------

7. 다음 그림과 같은 간선에서 부하의 증가로 간선 말단측의 전압 강하를 작게 하기 위하여 전압 강하를 작게 하기 위하여 급전점을 A, B, C, D 중 어느 지점에 설치 등 공급할 때 전력손실이 최소가 되는 지점의 공급점을 고려하지 않는다.)

○계산과정:

○답:

8. 수 대의 단상 변압기를 V결선하여 매일 15 [m³]의 원유 폭이 20 [m]인 연수탱크에 배열 운반 단상 변압기 1대의 용량과 및 표준용량 [kVA]지 산정하시오. (단, 변압기 정격의 정격 용량 표용량 70 [%] 이고, 경수기의 정격유량 용량은 80 [%]이며 평균 역률과 종합부하율 15 [%]의 여유를 둔다고 본다.)

[단상 변압기 표준용량]
표준용량 [kVA]	50	75	100	150	200	300

○계산과정:

○답:

9. 다음 설명의 ( )안에 알맞은 내용은?

고압 가공전선이 다른 고압 가공전선과 접근상태로 시설되거나 교차하여 시설되는 경우 상호 간의 이격거리는 (①) 이상, 하나의 고압 가공전선과 다른 고압 가공전선로의 지지물 사이의 이격거리는 (②) 이상일 것

10.

○ 계산과정 :

실지수 $K = \dfrac{XY}{H(X+Y)} = \dfrac{6 \times 8}{(3.5-0.8)(6+8)} = \dfrac{48}{2.7 \times 14} = 1.27$

○ 답 : 기호 G, 실지수 1.25

11. 해당되지 않는 것 3가지 :
- 공사 예정공정표
- 공사기성 신청서
- 설계수행 계획서

12. 정격전압이 220 [V]이고 정격출력이 1000 [W]인 직류 분권전동기의 정격부하율은 몇 [%]인가 구하시오. (단, 전기자 저항은 1 [Ω], 계자 저항은 50 [Ω]이다.)

○계산과정 :

○답 :

13. 1000 [cd]의 점광원 정원점 높이 4 [m]에 있을 경우 직하로부터 30° 방향으로 수직면 조도 [lx]를 구하시오.

○계산과정 :

○답 :

14. 다음과 같이 용도별 밝기 기준에 따른 공동주택의 주거 특정부분 1 [m²]에 대한 용량을 기초로 하여 개산적인 값이 몇 [VA]인지 쓰시오.

용도별 밝기 기준	특정부분 1 [m²]에 대한 용량
주거	①
상점 일반	②
일반 공장조명 기타	③
강당으로 사용한 경우	④
예고강당(특고정 겸용)	⑤
가설성(단, 고체)	⑥

----- 여 백 -----

※ 다음 예비용 계산 연습공간으로 사용하십시오.

15. PLC 프로그램의 신호흐름은 단방향이다. 다음 그림의 도면을 올바르게 수정하시오.

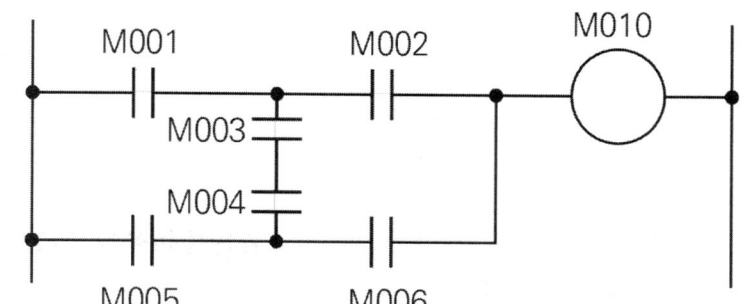

16. 풍량이 0.5 [m³/s]이고 풍압이 500 [mmAq] 송풍기용 전동기의 용량은 몇 [kW]인가? (단, 여유계수는 1.2, 팬의 효율은 60 [%]이다)

○ 계산과정 :

○ 답 :

17. 다음 주어진 진리표에 대하여 출력 RL, YL, GL의 간략화된 논리식을 쓰고 아래의 점선의 점속에 따라 표현
에 유접점의 미완성된 유접점 시퀀스 회로를 완성하시오.

A	B	C	RL	YL	GL
0	0	0	0	0	0
0	0	1	1	0	0
0	1	0	1	1	0
0	1	1	1	1	0
1	0	0	0	0	1
1	0	1	0	1	1
1	1	0	1	1	1
1	1	1	1	1	0

(1) RL, YL, GL의 간략화된 논리식을 쓰시오.

• RL =

• YL =

• GL =

(2) 아래의 미완성된 유접점 시퀀스 회로를 완성하시오.

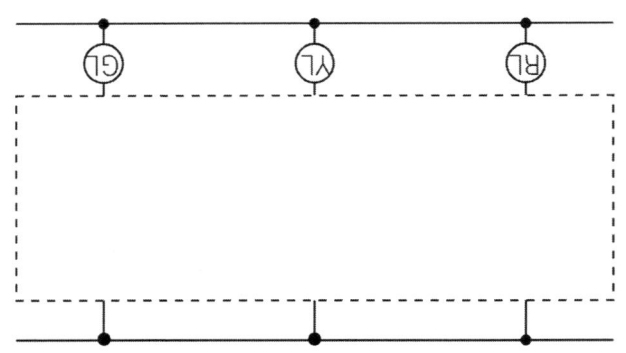

18. 다음은 유입식 변압기의 냉각방식이다. 약호를 참고하여 빈칸에 알맞은 내용을 쓰시오.

득점	배점
	6

냉각 방식		약호
유입식	①	ONAN
	②	ONAF
	③	ONWF
	④	OFAN
	⑤	OFAF
	⑥	OFWF

연 습 란

※ 다음 여백은 계산 연습란으로 사용하십시오.

판타롱

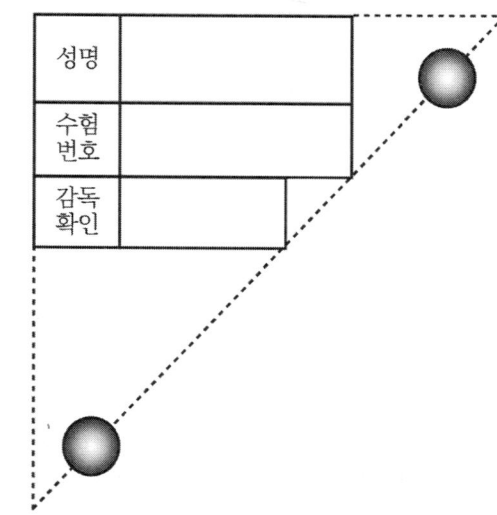

국가기술자격 실기시험 문제 및 답안지

20○○년도 기사 제2회 필답형 실기시험

종 목	시험시간	배점	문제수
전기기사	2시간 30분	100	18

* * 수험자 유의사항 * *

일반사항

1. 시험 문제를 받는 즉시 응시하고자 하는 종목의 문제가 맞는지를 확인하여야 합니다.
2. 시험 문제지 총 면수, 문제 번호 순서, 인쇄 상태 등을 확인하고(확인 이후 시험 문제지 교부 불가), 수험번호 및 성명을 답안지에 기재하여야 합니다.
3. 부정 또는 불공정한 방법(시험문제 내용과 관련된 메모지 사용 등)으로 시험을 치른 자는 부정행위자로 처리되어 당해 시험을 중지 또는 무효로 하고, 3년간 국가 기술검정의 응시자격이 정지됩니다.
4. 전자계산기는 허용된 계산기에 한해서만 사용이 가능합니다.
5. 시험 중 전자·통신기기(휴대폰 및 스마트 워치 등)를 지참하거나 사용할 수 없습니다.
6. 문제 및 답안(지), 채점기준은 관계법령(공공기관의 정보공개에 관한 법률 제9조(비공개대상정보) 1항 5호)에 의해 공개하지 않습니다.
7. 복합형 시험의 경우 시험의 전 과정(필답형, 작업형)을 응시하지 않은 경우 채점 대상에서 제외합니다.
8. 국가기술자격 시험문제는 일부 또는 전부가 저작권법상 보호되는 저작물이고, 저작권자는 한국산업인력 공단입니다. 문제의 일부 또는 전부를 무단 복제, 배포, 출판, 전자출판하는 등 저작권을 침해하는 일체의 행위를 금합니다.
9. 국가기술자격증 신청·발급은 온라인으로만 가능합니다(공단 방문 신청·발급 폐지, Q-net 공지사항 및 수험표 참조).

채점사항

1. 수험자 인적사항 및 답안 작성은 반드시 검은색 필기구만 사용하여야 하며, 그 외 연필류, 유색 필기구, 지워지는 펜 등을 사용한 답안은 채점하지 않으며 0점 처리됩니다.
2. 답란에는 문제와 관련 없는 불필요한 낙서나 특이한 기록사항 등을 기재하여서는 안 되며, 답안지의 인적사항 기재란 외의 부분에 답안과 관련 없는 특수한 표시를 하거나 특정인임을 암시하는 경우 답안지 전체를 0점 처리합니다.
3. 계산문제는 반드시 「계산과정」과 「답」란에 기재하여야 하며, 「계산과정」과 「답」이 모두 맞아야 정답으로 인정됩니다.
4. 계산문제는 최종 결괏값(답)에서 소수 셋째 자리에서 반올림하여 둘째 자리까지 구하여야 하나 개별 문제에서 소수 처리에 대한 요구사항이 있을 경우 그 요구사항에 따라야 합니다.
5. 답에 단위가 없으면 오답으로 처리됩니다. (단, 문제의 요구사항에 단위가 주어졌을 경우는 생략되어도 무방합니다)
6. 문제에서 요구한 가지 수(항수) 이상을 답란에 표기한 경우에는 답란기재 순으로 요구한 가지 수(항수)만 채점하고 한 항에 여러 가지를 기재하더라도 한 가지로 보며 그중 정답과 오답이 함께 기재되어 있을 경우 오답으로 처리됩니다.
7. 답안 정정 시에는 정정하고자 하는 단어에 두 줄(=)을 긋고 다시 작성하거나 수정테이프(수정액 제외)를 사용하여 정정하시기 바랍니다.

※ 수험자 유의사항 미준수로 인한 채점상의 불이익은 수험자 본인에게 책임이 있습니다.

〈국가기술자격 부정행위 예방 캠페인 : "부정행위, 묵인하면 계속됩니다."〉

1. 그림과 같은 방전 특성곡선을 가지는 부하에 대하여 각 용량에 맞는 답하시오. (단, 방전전류는 $I_1 = 400$, $I_2 = 500$, $I_3 = 100$, $I_4 = 200$ [A], 방전시간은 $T_1 = 60$, $T_2 = 50$, $T_3 = 25$, $T_4 = 10$ [min], 용량환산시간은 $K_1 = 2.65$, $K_2 = 2.50$, $K_3 = 1.43$, $K_4 = 0.52$, 보수율은 0.8 등 적용한다.)

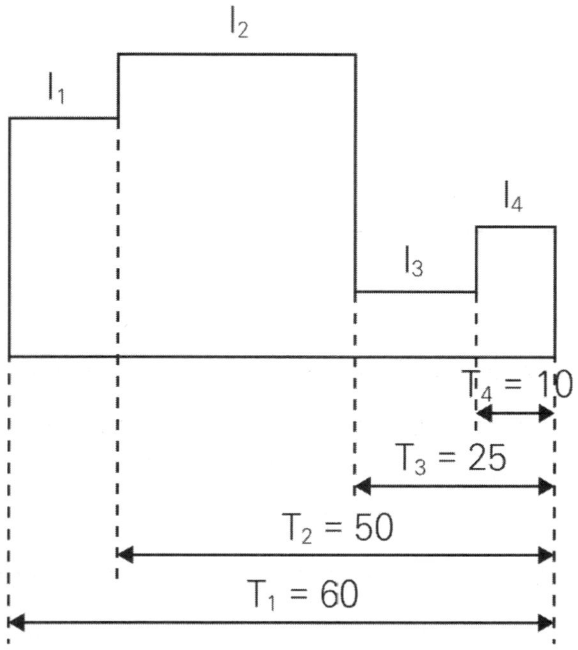

(1) 이와 같은 방전 특성 곡선 갖는 축전지 용량 및 [Ah]인지 구하시오.

  ○ 계산과정:

  ○ 답:

(2) 연 축전지와 알칼리 축전지의 공칭전압은 각각 몇 [V]인가?

  ① 연 축전지:

  ② 알칼리 축전지:

(3) 예비전원으로 시설하는 축전지로부터 부하에 이르는 전로에는 개폐기 및 과전류 차단기를 설치하여야 하는지 쓰시오.

------------------------------ 여 백 ------------------------------

※ 다음 예비용 계산 연습공간으로 사용하십시오.

2. 변압기유의 구비조건 4가지를 쓰시오.

3. 정격출력이 10 [kW], 20 [kW], 25 [kW], 30 [kW]인 부하 설비의 수용률이 각각 50 [%], 60 [%], 70 [%], 60 [%]이다. 부하 설비 간의 부등률이 1.3, 종합 부하 역률이 0.8일 때 변압기 용량을 산정하시오.

[변압기 표준 용량 [kVA]]

| 10 | 15 | 20 | 30 | 50 | 75 | 100 |

○ 계산과정 :

○ 답 :

4. 다음은 배선공사에 대한 지지점 간의 거리에 대한 내용이다. 각 공사방법에 따른 지지점 간의 최소 이격거리를 쓰시오.

공사방법	지지점간의 거리 [m]
애자사용 공사	①
금속몰드 공사	②
캡타이어 케이블 공사	③
합성 수지관 공사	④
라이팅 덕트 공사	⑤

---- 연 습 란 ----

※ 다음 여백은 계산 연습란으로 사용하십시오.

5. 다음 논리회로를 보고 물음에 답하시오.

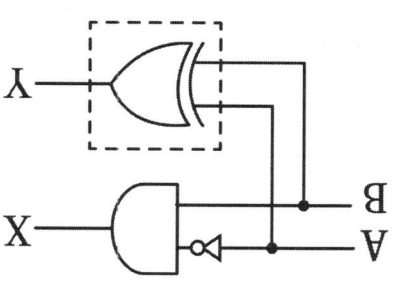

(1) 출력 X와 Y에 대한 논리식을 쓰시오.
- X =
- Y =

(2) 점선 안에 들어갈 논리기호를 유접점 회로로 그리시오.

(3) 다음 유접점 회로를 완성하시오.

6. 두 곳의 변전소에 울타리·담 등을 시설할 때, 사용전압이 154 [kV]와 345 [kV]이면 울타리·담 등의 높이와 울타리·담 등으로부터 충전부분까지의 거리의 합계는 각각 몇 [m] 이상으로 하여야 하는가?

   (1) 154 [kV]인 경우

   (2) 345 [kV]인 경우

7. 3상 3선식 송전선에서 한 선의 저항이 2.5 [Ω], 임피던스가 7.5 [Ω]이고, 수전단의 부하역률이 0.85, 선간전압이 4 [kV]인 경우 전압강하율을 10 [%]라 하면 이 송전선로는 몇 [kW]까지 수전할 수 있는가?

   ○ 계산과정 :

   ○ 답 :

8. 전기저장장치를 전용건물에 시설하는 경우에 대한 설명이 다음 ( )에 들어갈 내용으로 옳은 것은?

   | 전기저장장치의 시설장소는 주변 시설(도로, 건물, 가연물질 등)로부터 (①) [m] 이상 이격하고 다른 건물의 출입구나 피난계단 등 이와 유사한 장소로부터는 (②) [m] 이상 이격하여야 한다. |

9. 다음은 감리원이 공사업자에게 제출하도록 하는 요구사항이다. 괄호 안에 알맞은 내용을 답하시오.

   | 감리원은 공사진도율이 계획공정 대비 월간 공정실적이 (①) [%] 이상 지연되거나 누계공정실적이 (②) [%] 이상 지연될 때에는 공사업자에게 부진사유 분석, 만회대책 및 만회공정표를 수립하여 제출하도록 지시하여야 한다. |

— 연 습 란 —

※ 다음 여백은 계산 연습란으로 사용하십시오.

10. 다음 그림과 같은 PLC 시퀀스 회로의 프로그램을 완성하여 명령어를 사용하여 완성하시오. (단, 시작 (입력) 입력 STR, 출력 OUT, 직렬 AND, 병렬 OR, 부정 NOT, 그룹 직렬 AND STR, 그룹 병렬 OR STR이다.)

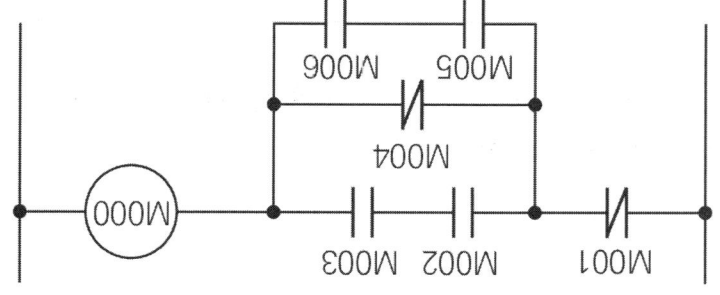

차례	명령	번지	차례	명령	번지
0	STR NOT	M001	6	AND	⑤
1	①	M002	7	OR STR	-
2	AND	②	8	AND STR	-
3	③	M004	9	OUT	M000
4	④	-			
5	STR	M005			

11. 백사용률 60 [%]인 원형전반조명이에 조도로 평균 비추임을 때, 등이 평균의 최소 및 [cd/m²]인가? (단, 광원등은 구정원이다.)

○ 계산과정 :

○ 답 :

----------------------- 여 백 -----------------------

※ 다음 여백은 계산 연습용으로 사용하십시오.

12. 저압 전로의 계통접지 방식 중 각 그림에 알맞은 접지계통을 쓰시오.

득점	배점
	6

(1)
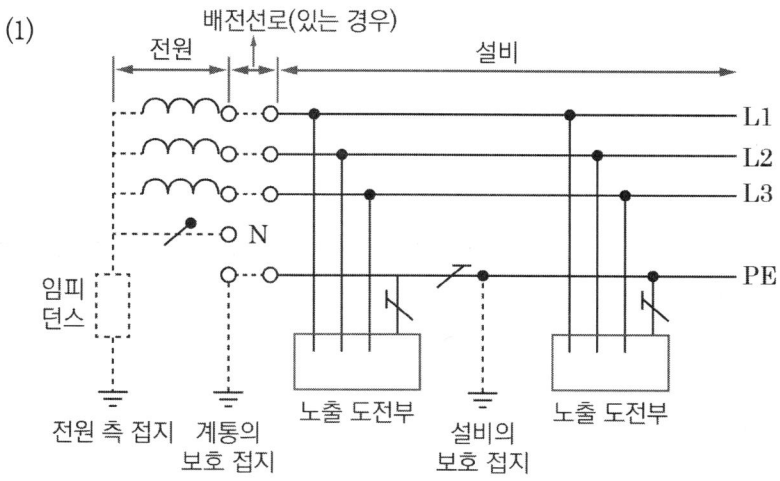

(2)
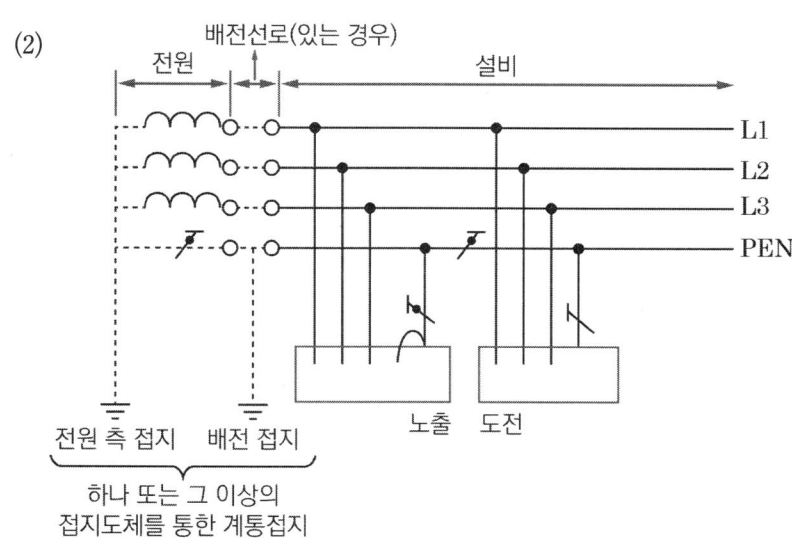

(3)
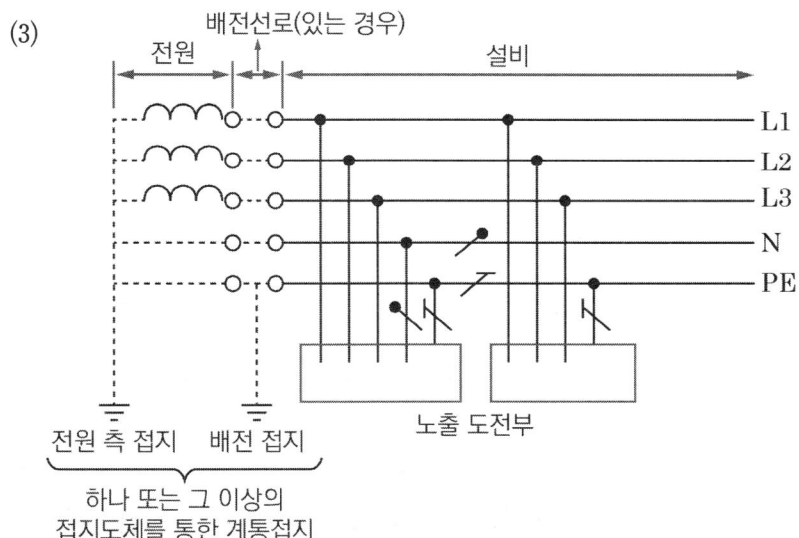

13. 그림과 같이 수용가의 부하 곡선을 보고 다음 물음에 답하시오.

(kW 그래프: 0-4시 100, 4-8시 200, 8-12시 400, 12-16시 500, 16-20시 200, 20-24시 100)

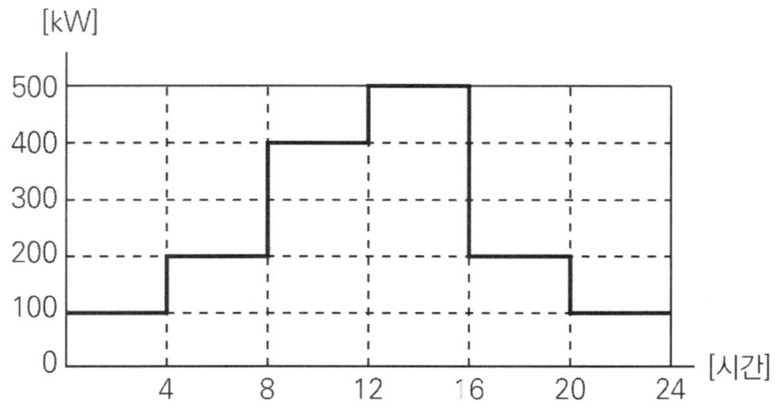

(1) 첨두 부하의 용량(kW)과 지속시간을 쓰시오.

○ 답 :

(2) 일 공급 전력량의 합 [kWh]은 얼마인가?

○ 계산과정 :

○ 답 :

(3) 평균전력(kW)을 구하시오.

○ 계산과정 :

○ 답 :

(4) 일 부하율은 몇 [%]인가?

○ 계산과정 :

○ 답 :

------------------------------절 취 선------------------------------
※ 다음 예비용 계산 연습란으로 사용하십시오.

14. 다음 그림과 같은 평형 3상 회로에서 운전되는 유도 전동기에 전력계, 전압계, 전류계를 접속하고, 각 계기의 지시를 측정하니 전력계 W_1 = 2.36 [kW], W_2 = 5.95 [kW], 전압계 V = 200 [V], 전류계 I = 29.96 [A]이었을 때, 다음 각 물음에 답하시오.

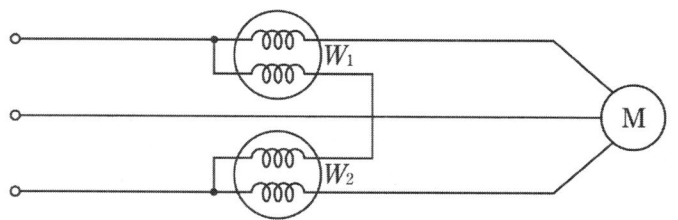

(1) 전압계와 전류계를 도면의 적당한 위치에 작성하시오.

(2) 유효전력은 몇 [kW]인가?
  ○ 계산과정 :

  ○ 답 :

(3) 피상전력은 몇 [kVA]인가?
  ○ 계산과정 :

  ○ 답 :

(4) 역률은 몇 [%]인가?
  ○ 계산과정 :

  ○ 답 :

(5) 이 유도 전동기로 20 [m/min]의 속도로 물체를 권상한다면 몇 [kg]까지 가능하겠는가?
  (단, 종합 효율은 85 [%]이다)
  ○ 계산과정 :

  ○ 답 :

-- 연 습 란 --

※ 다음 여백은 계산 연습란으로 사용하십시오.

15. 다음 내용에 해당하는 인장용도를 쓰시오.

내용	인장용도
철탑의 강도계산을 할 때 이상 시 상정하중이 가하여지는 경우	①
사용상태 일반적인 등 가장 가혹한 경우	②
고압 가공전선로 가섭선으로 사용되는 구리선의 용단방지에 대한 인장용	③
고압가공전선이 경간도 또는 내열 동합금선인 경우	④
가공전선로의 지지물에 장선이 가하여지는 경우에 그 완금류 지지물 의 기초 안전율	⑤

16. 송전선 전로의 길이가 10[km]인 3상 3선식 송전선로에 수전점에 10[kV], 2000[kW], 역률 0.9인 3상 부하가 접속되어 절연불량 등으로 누전전류가 5[%] 이상이 되기 이전에 경기 경보를 알려 표시하는 지락경보 계전장치 영동전유과 도전용은 100[%]이다.)

| 정격 굵기 [mm²] | 2.5 | 4 | 6 | 10 | 16 | 25 | 35 | 70 | 95 |

○계산과정 :

○답 :

------------------------------ 절 취 선 ------------------------------
※ 다음 예비란 채점 연습용으로 사용하십시오.

17. 경동선을 사용한 코일의 저항이 20 [℃]에서 100 [Ω]이고, 온도계수가 0.00393이다. 이 코일에 전류를 흘려 경동선의 온도가 100 [℃]로 상승할 때 저항값 [Ω]은 얼마인가?

　○계산과정 :

　○답 :

18. 발전기의 최대출력이 500 [kW], 일부하율이 50 [%], 중유의 발열량이 9600 [kcal/L], 열효율이 36 [%]일 때 하루 동안의 연료 소비량 [L]은 얼마인가?

　○계산과정 :

　○답 :

※ 다음 여백은 계산 연습란으로 사용하십시오.

맘 이 음 이

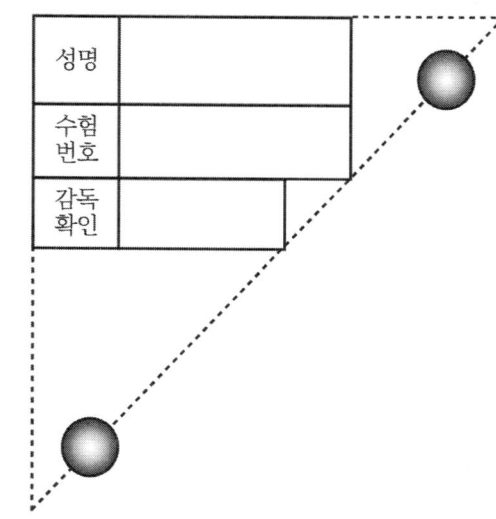

국가기술자격 실기시험 문제 및 답안지

20○○년도 기사 제3회 필답형 실기시험

종 목	시험시간	배점	문제수
전기기사	2시간 30분	100	18

* * 수험자 유의사항 * *

일반사항

1. 시험 문제를 받는 즉시 응시하고자 하는 종목의 문제가 맞는지를 확인하여야 합니다.
2. 시험 문제지 총 면수, 문제 번호 순서, 인쇄 상태 등을 확인하고(확인 이후 시험 문제지 교부 불가), 수험번호 및 성명을 답안지에 기재하여야 합니다.
3. 부정 또는 불공정한 방법(시험문제 내용과 관련된 메모지 사용 등)으로 시험을 치른 자는 부정행위자로 처리되어 당해 시험을 중지 또는 무효로 하고, 3년간 국가 기술검정의 응시자격이 정지됩니다.
4. 전자계산기는 허용된 계산기에 한해서만 사용이 가능합니다.
5. 시험 중 전자·통신기기(휴대폰 및 스마트 워치 등)를 지참하거나 사용할 수 없습니다.
6. 문제 및 답안(지), 채점기준은 관계법령(공공기관의 정보공개에 관한 법률 제9조(비공개대상정보) 1항 5호)에 의해 공개하지 않습니다.
7. 복합형 시험의 경우 시험의 전 과정(필답형, 작업형)을 응시하지 않은 경우 채점 대상에서 제외합니다.
8. 국가기술자격 시험문제는 일부 또는 전부가 저작권법상 보호되는 저작물이고, 저작권자는 한국산업인력 공단입니다. 문제의 일부 또는 전부를 무단 복제, 배포, 출판, 전자출판하는 등 저작권을 침해하는 일체의 행위를 금합니다.
9. 국가기술자격증 신청·발급은 온라인으로만 가능합니다(공단 방문 신청·발급 폐지, Q-net 공지사항 및 수험표 참조).

채점사항

1. 수험자 인적사항 및 답안 작성은 반드시 검은색 필기구만 사용하여야 하며, 그 외 연필류, 유색 필기구, 지워지는 펜 등을 사용한 답안은 채점하지 않으며 0점 처리됩니다.
2. 답란에는 문제와 관련 없는 불필요한 낙서나 특이한 기록사항 등을 기재하여서는 안 되며, 답안지의 인적사항 기재란 외의 부분에 답안과 관련 없는 특수한 표시를 하거나 특정인임을 암시하는 경우 답안지 전체를 0점 처리합니다.
3. 계산문제는 반드시 「계산과정」과 「답」란에 기재하여야 하며, 「계산과정」과 「답」이 모두 맞아야 정답으로 인정됩니다.
4. 계산문제는 최종 결괏값(답)에서 소수 셋째 자리에서 반올림하여 둘째 자리까지 구하여야 하나 개별 문제에서 소수 처리에 대한 요구사항이 있을 경우 그 요구사항에 따라야 합니다.
5. 답에 단위가 없으면 오답으로 처리됩니다. (단, 문제의 요구사항에 단위가 주어졌을 경우는 생략되어도 무방합니다)
6. 문제에서 요구한 가지 수(항수) 이상을 답란에 표기한 경우에는 답란기재 순으로 요구한 가지 수(항수)만 채점하고 한 항에 여러 가지를 기재하더라도 한 가지로 보며 그중 정답과 오답이 함께 기재되어 있을 경우 오답으로 처리됩니다.
7. 답안 정정 시에는 정정하고자 하는 단어에 두 줄(=)을 긋고 다시 작성하거나 수정테이프(수정액 제외)를 사용하여 정정하시기 바랍니다.

※ 수험자 유의사항 미준수로 인한 채점상의 불이익은 수험자 본인에게 책임이 있습니다.

〈국가기술자격 부정행위 예방 캠페인 : "부정행위, 묵인하면 계속됩니다."〉

1. 다음 그림은 22.9 [kV] 특고압수전설비의 단선결선도이다. 도면을 보고 다음 각 물음에 답하시오.

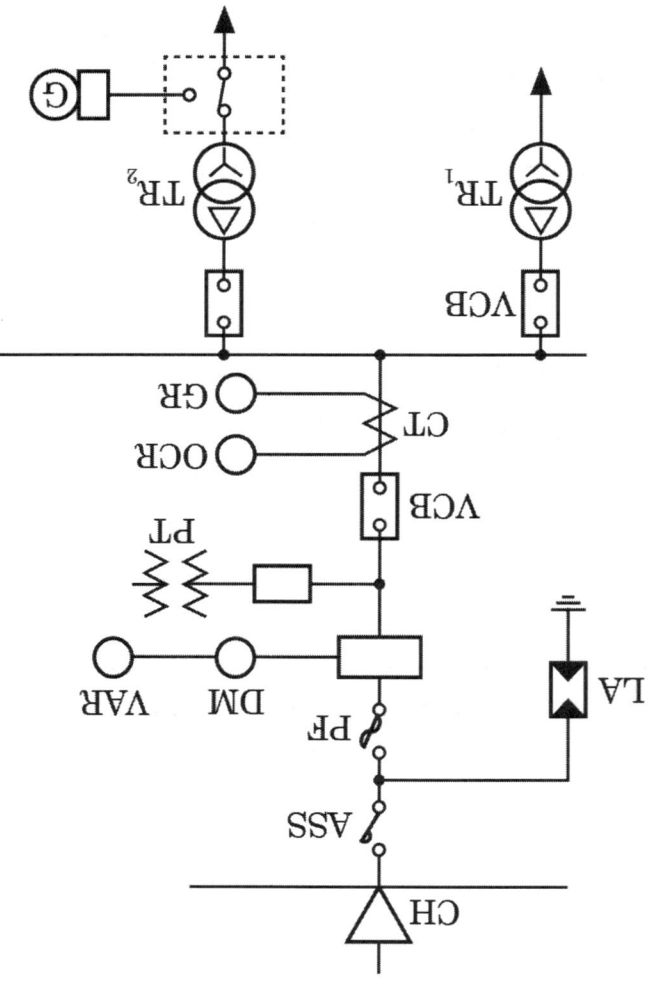

[별양기] 표준용량 [kVA]

| 100 | 150 | 200 | 250 | 300 | 400 | 500 |

(1) TR₁변압기에 연결된 동력부하 설비용량이 300 [kW], 부하역률 80 [%], 효율 85 [%], 수용률 80 [%]라 할 때, 변압기의 용량 [kVA]을 산정하시오.

○계산과정:

○답:

※ 다음 예제는 채점 연습용으로 사용하십시오.

---------------------영 역 감---------------------

(2) 다음 약호에 알맞은 기기의 명칭과 용도 및 역할을 표의 빈칸에 채워 넣으시오.

약호	명칭	용도 및 역할
ASS		
PF		
LA		
PT		
CT		

(3) 도면의 점선 안의 기기의 명칭과 기능은 무엇인지 쓰시오.

(4) 도면상의 TR_2 변압기의 결선도를 복선도로 그리시오.

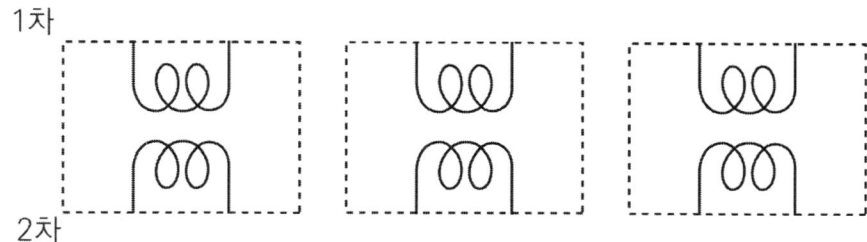

※ 다음 예제는 계산 연습용으로 사용하십시오.

---------- 연 습 문 ----------

2. 증설부하용이 300 [kW]인 변압기 및 변압기의 용량을 몇 [kVA]인지 주어진 표를 통해 선정하시오. (단, 수용률 0.6, 종합 역률은 0.7로 본다.)

| 변압기 표준 용량 [kVA] | 10, 15, 20, 30, 50, 75, 100, 150, 200, 300, 500, 750, 1000 |

○계산과정 :

○답 :

3. 지금까지 정기기 변화기용에 이용한 영향 중 3가지와 대책 2가지를 쓰시오.

(1) 전기기 변화기용에 의한 영향

(2) 전기가 변화기용에 대한 대책

4. 역률이 0.6, 240 [kW]인 부하의 160 [kVar], 120 [kW]인 부하를 조합하고 여기에 병렬로 콘덴서를 설치하고자 한다. 다음 물음에 답하시오.

(1) 부하의 합성용량 [kVA]을 구하시오.

○계산과정 :

○답 :

(2) 합성 역률 [%]을 구하시오.

○계산과정 :

○답 :

(3) 합성 역률을 80 [%]로 개선하기 위한 콘덴서의 접속 방법을 설명하고 그 때 필요한 콘덴서의 용량 [kVA]을 구하시오.

  ○ 계산과정 :

  ○ 답 :

5. 송전계통의 안정도를 증진하기 위한 방법을 5가지 쓰시오.

6. 특고압 가공 전선로는 기설 가공 전화선로에 대하여 상시정전유도작용에 의한 통신상의 장해가 없도록 하고 다음에 따라 시설하여야 한다. 내용 중 ( ) 안에 알맞은 내용은?

  (1) 사용전압이 60 [kV] 이하인 경우에는 전화선로의 길이 (①) [km]마다 유도전류가 (②) [μA]을 넘지 아니하도록 할 것

  (2) 사용전압이 60 [kV]를 초과하는 경우에는 전화선로의 길이 (③) [km]마다 유도전류가 (④) [μA]을 넘지 아니하도록 할 것

7. 양수 펌프용 전동기의 양수량이 45 [m^3/min], 총 양정이 15 [m]일 때, 소요 출력은 몇 [kW]인지 계산하시오. (단, 펌프의 효율은 80 [%]이며, 여유계수는 1.1로 한다)

  ○ 계산과정 :

  ○ 답 :

8. 다음 그림은 PB_1, PB_2를 조작하여 기계 A, B를 공전시키는 시퀀스 회로이다. 이 회로를 타임차트의 동작사항과 일치되도록 완성하시오. (단, R_1, R_2 계전기의 보조 a접점 등도 5점접 이하로 추가 사용할 수 있다고 가정한다.)

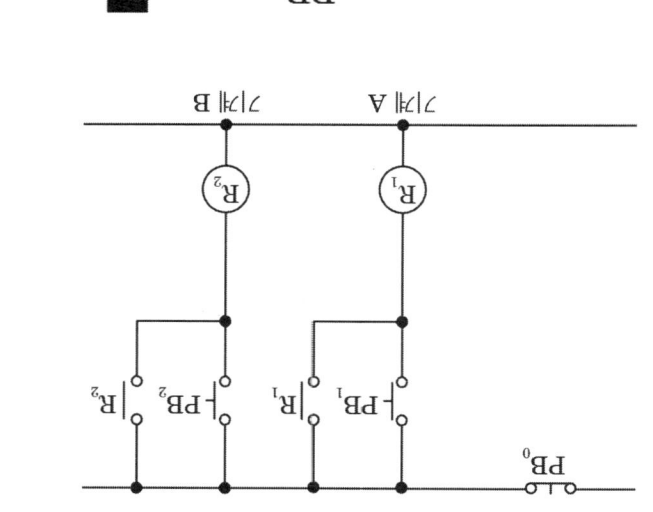

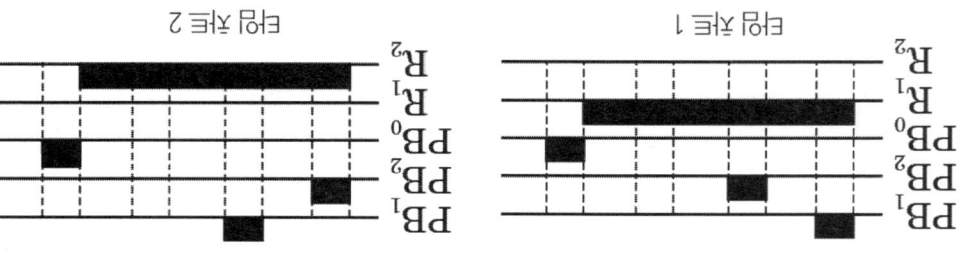

9. 사장 30 [m] 공사 수조가 있다. 이 수조에 평균 12 [m³]의 물을 양수하는 양수용 전동기를 설치할 때의 다음 물음에 답하시오. 단, 펌프용 3상 농형유도전동기의 효율은 75 [%]이고, 펌프 축 동력에 10 [%]의 여유를 두고 펌프용 3상 농형유도전동기의 역률을 100 [%]로 가정한다.

(1) 펌프용 전동기의 용량 [kW]을 구하시오.

○ 계산과정 :

○ 답 :

(2) 3상 전력용 전력용 전력기 2대를 V결선하여 이용하고자 할 때, 단상 변압기 1대의 용량 [kVA]을 구하시오.

○ 계산과정 :

○ 답 :

--여 백--

※ 다음 예비용 계산 연습공간으로 사용하십시오.

10. 외부피뢰 시스템은 수뢰부시스템, 인하도선시스템, 접지극시스템으로 구성되어 있다. 그 중 수뢰부시스템의 배치방법 3가지를 쓰시오.

11. 가로 20 [m], 세로 20 [m]인 사무실의 평균조도를 200 [lx]로 하고자 할 때, 필요한 형광등 개수를 구하시오. (단, 형광등의 광속은 3000 [lm], 조명률은 0.6, 감광보상률은 1.2이다)

   ○ 계산과정 :

   ○ 답 :

12. 다음 표의 심벌의 명칭을 적으시오.

(1)	(2)	(3)	(4)	(5)
B	E	S	BE	TS

------- 연 습 란 -------

※ 다음 여백은 계산 연습란으로 사용하십시오.

13. 다음 논리식을 이용하여 물음에 답하시오.

$$Z = \overline{A}\overline{B}C + \overline{A}\overline{B}\overline{C} + \overline{A}BC + \overline{A}B\overline{C} + ABC$$

(1) 논리식을 간소화하시오.

   Z =

(2) 다음 진리표를 완성하시오.

A	B	C	Z
0	0	0	
0	0	1	
0	1	0	
0	1	1	
1	0	0	
1	0	1	
1	1	0	
1	1	1	

(3) 논리식의 유접점 회로를 완성하시오.

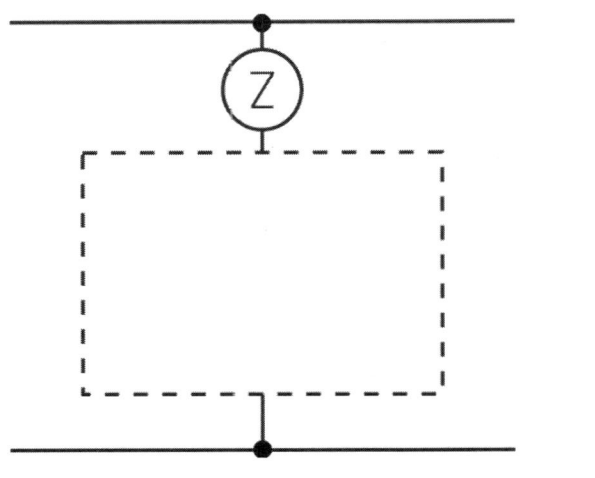

14. 소선의 직경이 2.6 [mm]인 경동연선에서 중심을 제외한 소선의 총 가닥수가 60가닥일 때 연선의 바깥지름은 몇 [mm]인지 구하시오.

   ○ 계산과정 :

   ○ 답 :

15. 다음은 특고압 가공전선로의 철주, 철근 콘크리트주 또는 철탑의 종류에 대한 특징이다. ( )에 알맞은 유형의 명칭을 쓰시오.

구분	특징
①	전선로의 직선부분 사용하는 것
②	전선로 중 3°를 초과하는 수평각도를 이루는 곳에 사용하는 것
③	전가섭선을 인류하는 곳에 사용하는 것
④	전선로의 지지물 양쪽의 경간의 차가 큰 곳에 사용하는 것
⑤	전선로의 직선부분에 그 보강을 위하여 사용하는 것

16. 전력시설물 공사감리업무 수행지침에서 정하는 발주자는 외부적 사업환경의 변동, 사업추진 기본계획의 조정, 민원에 따른 노선변경, 공법변경, 그 밖의 시설물 추가 등으로 설계변경이 필요한 경우에는 다음의 서류를 첨부하여 반드시 서면으로 책임감리원에게 설계변경을 하도록 지시하여야 한다. 이 경우 첨부하여야 하는 서류 5가지를 쓰시오. (단, 그 밖에 필요한 서류는 제외한다)

○ 계산과정:

17. 어느 변전소의 정격이 9.5 [kV], 용량이 56000 [kVA]이고, %동기임피던스(%Z_s)는 90 [%]이다. 이 변전소의 동기임피던스 값 [Ω]인지 구하시오.

○ 답:

18. 동기발전기병렬운전에 따른 용이의 조건에 대하여 발전기 인상기 또는 발전기용 병렬운전조건 6가지와 병렬운전 성립도 되지 않이있고 하고가지 쓰시오.

------------------------------- 연습란 -------------------------------
※ 다음 예비는 계산 연습용으로 사용하십시오.

전기기사 - 3회 - 10